DU MÊME AUTEUR

L'ÊTRE DU BALBUTIEMENT, essai sur Sacher-Masoch, éd. Mercure de France, 1969.

LYCOPHRON, ALEXANDRA, éd. Mercure de France, 1971.

LA PAROLE DE LA DÉLIE, essai sur Maurice Scève, éd. Mercure de France, 1974.

MICHEL DEGUY, éd. Seghers, 1975.

ÉCHO, suivi d'ÉPISTOLÈ ALEXANDROY, éd. Le Collet de Buffle, 1975.

SANG, éd. Orange Export Ldt, 1976.

LE LECTEUR, récit, éd. Gallimard, 1976.

HIEMS, éd. Orange Export Ldt, 1977.

SARX, éd. Aimé Maeght, 1977.

LES MOTS DE LA TERRE, DE LA PEUR, ET DU SOL, éd. Clivages, 1978.

INTER AERIAS FAGOS, éd. Orange Export Ldt, 1979.

SUR LE DÉFAUT DE TERRE, éd. Clivages, 1979.

CARUS, roman, éd. Gallimard, 1979 (Folio 2211).

LE SECRET DU DOMAINE, conte, éd. de l'Amitié, 1980.

LES TABLETTES DE BUIS D'APRONENIA AVITIA, roman, éd. Gallimard, 1984 (L'Imaginaire 212).

LE VŒU DE SILENCE, essai sur Louis-René des Forêts, éd. Fata Morgana, 1985.

UNE GÊNE TECHNIQUE À L'ÉGARD DES FRAGMENTS, éd. Fata Morgana, 1986.

ÉTHELRUDE ET WOLFRAMM, conte, éd. Claude Blaizot, 1986.

LE SALON DU WURTEMBERG, roman, éd. Gallimard, 1986 (Folio 1928).

LA LEÇON DE MUSIQUE, éd. Hachette, 1987.

LES ESCALIERS DE CHAMBORD, roman, éd. Gallimard, 1989 (Folio 2301).

ALBUCIUS, éd. POL, 1990 (Livre de Poche 4308).

KONG SOUEN-LONG, SUR LE DOIGT QUI MONTRE CELA, éd. Michel Chandeigne, 1990.

Suite de la bibliographie en fin de volume

LES OMBRES ERRANTES

Collection littéraire dirigée par
MARTINE SAADA

Pascal Quignard, *Sur le jadis*
Pascal Quignard, *Abîmes*

PASCAL QUIGNARD

LES OMBRES ERRANTES

Dernier royaume I

BERNARD GRASSET
PARIS

IL A ÉTÉ TIRÉ DE CET OUVRAGE
SUR VÉLIN PUR FIL DES PAPETERIES DE MALMENAYDE
CINQUANTE EXEMPLAIRES DONT QUARANTE-CINQ
EXEMPLAIRES DE VENTE ET
CINQ HORS COMMERCE NUMÉROTÉS DE H.C. I À H.C. V
CONSTITUANT L'ÉDITION ORIGINALE.

CHAPITRE PREMIER

Le chant du coq, l'aube, les chiens qui aboient, la clarté qui se répand, l'homme qui se lève, la nature, le temps, le rêve, la lucidité, tout est féroce.

Je ne puis toucher la couverture colorée de certains livres sans que remonte en moi une sensation de douleur.

Un corps préférait leur lecture à moi-même. Une jeune Allemande s'occupa de moi jusqu'à l'âge de deux ans. Le fait qu'elle lût à mes côtés m'ôtait à la joie de me trouver près d'elle. Parce qu'il me semblait alors qu'elle ne se trouvait pas à mes côtés. Elle n'était pas là. Elle était déjà partie.

Elle était ailleurs.

Lisant, elle séjournait dans un autre royaume.

Ma gorge se serre soudain, évoquant ces heures où je ne parlais pas encore. Elles masquent un autre monde qui se dérobera toujours à ma quête. Une espèce de sanglot sec faisait suffoquer le haut du corps.

Je ne déglutis plus.

Je ne souffris plus qu'une fourchette ou une cuil-
ler s'approchent de mes lèvres.

L'attraction qu'exercent sur moi les livres est
d'une nature qui restera toute ma vie plus mystérieuse et plus impérieuse qu'elle peut le sembler à
d'autres lecteurs. Vite, vite, je repose le vieux livre
coloré là où je l'ai pris. Je me détourne de l'étal du
libraire. Je ne puis plus parler. Comme alors. Je ne
m'y risque pas. Je presse le pas sur le trottoir. Je
m'éloigne dans l'ombre de la ville où je me fonds.

*

Un morceau de la pomme originaire est resté
coincé au centre de ma gorge.

*

Vieux livres Garnier bilingues latin-français devenus duveteux à force d'usage, d'âge, de soleil, de
poussière.

J'ai lu dans l'un de ces vieux livres des éditions
Garnier que l'empereur Tibère exigeait – pour ran-
ger les rouleaux d'images pornographiques dont il
faisait collection – des cylindres entièrement jaunes
et dépourvus de *titulus* afin que rien ne trahît la cu-
riosité qui l'obsédait.

Il errait dans l'empire qu'il fuyait.

Empereur honni, loup, détestant les villes, qui ne
voulait pas de l'empire, qui tua Dieu, qui fuit Rome
elle-même.

Il préféra vivre au plus haut de Capri, dans l'ombre de la roche qui surplombait la mer.

*

Vivre caché – *late* – disait Lucrèce.
Larvatus, disait Descartes.

*

Il se trouva qu'en 1618 le chevalier Le Cerf, alors qu'il sortait à peu près de l'enfance, s'engagea comme volontaire dans les troupes royales avec le dessein de voyager partout dans le monde.

Il alla rejoindre Guillaume le Taciturne au siège de Breda.

Il y resta treize mois.

Ils devinrent quatre amis. C'étaient quatre compagnons de chambrée. Dans l'ordre d'enrôlement : Monsieur de Jaume, René Des Cartes, Nathan Le Cerf, Isaac Beeckman. Lors de la journée des barricades du 27 août 1648 le chevalier Des Cartes précipita son départ de Paris de sorte qu'il ne put rencontrer ni Le Cerf, qui se faisait surnommer Abraham, ni Jacques Esprit. Il sauta sur son cheval. Arrivé à Leyde, il dit qu'il ne retournerait jamais en France. Le 31 mars 1649 le chevalier Des Cartes écrivit à Chanut : « J'ai sujet de croire qu'ils veulent de nouveau ma venue en France seulement pour me montrer comme si j'étais une panthère. » Il confesse qu'il s'est pris de regret pour la petite maison près de l'église au bord du canal de l'ouest *(in den Weste-rheerckstraet).* Ce fut cette année-là qu'il renonça aux complaisances sexuelles de Frantsinge. Mais on ne peut déduire d'une vie qui devient entièrement cachée qu'elle est plus innocente.

CHAPITRE II

Je ne cherche que des pensées qui tremblent. Il y a une rougeur qui appartient à l'intérieur de l'âme. Dans le sixième livre du *Jin Ping Mei* surgit tout à coup le lettré Wen Bigu. Il n'a pas quarante ans. Il est habillé et coiffé en lettré, dents blanches, favoris de joue, favoris de menton, favoris de lèvre. Xen Qing le salue. Il le fait monter dans la salle de réception. Il le fait asseoir. Il lui offre à boire, s'incline enfin :

— Quel est votre nom ?

Wen Bigu lui répond :

— Mon humble prénom est *Bigu* (Nécessité-d'imiter-les-Anciens). Mon nom personnel est *Rixin* (Se-Renouveler-de-jour-en-jour).

Ils boivent le thé à la lumière d'une torche.

*

Tel est le *double-bind* du nom du lettré. Je me renouvelle de jour en jour dans la nécessité d'imiter les œuvres des Anciens.

*

Le nom de Wen Bigu fait penser au nom de Lao-tseu : *lao* (vieux) et *tseu* (enfant). Le lettré est tour à tour Enfant de Vieux et Vieil Enfant.

Les anciens Chinois rapportent que Lao-tseu attendit quatre-vingts ans dans l'utérus de sa mère avant de se décider à pénétrer dans le souffle et la lumière.

Lao-tseu est à l'évidence un *viviparus*.

*

Il y a une vie avant la naissance qui la date.

Il y a un monde avant le monde où il surgit.

Il y a un *fœtus* avant l'*infans*.

Il y a un *infans* avant le *puer*.

Il y a sans cesse un avant sans langage au temps : c'est le temps.

Fœtus, infans, avant l'identité, sont l'un et l'autre sans langage.

*

La scène où toute scène prend origine dans l'invisible sans langage est une actualité sans cesse active.

*

Après s'être présenté, Wen Bigu murmure à Xen Qing :

— Quand je suis las parfois d'errer dans la forêt des pinceaux et parmi les ruisselets des encres, je pose le chapeau carré, je quitte l'odeur des vieux livres. Ma main s'insinue sous le pantalon de soie. Je ferme les yeux. Les larmes du dieu jaillissent. J'approche mes narines de l'odeur du Jadis. Voilà la vie que je mène.

*

Trois cheveux d'or appartiennent au diable. Le héros descend en enfer.

*

Le passé le plus lointain est le plus dense de l'énergie de l'explosion. Tout souvenir intense approche de la force.

*

Une chose est de raisonner, une autre de voir et de rapporter sa vision dans un livre. Thérèse dans le monastère Saint-Joseph à Avila disait : Il ne faut pas épurer le désir des images corporelles ou involontaires qui le nourrissent.

*

Toute ombre qui enveloppe notre corps est celle de la scène qui ne passe jamais à la vision puisqu'il s'agit de la scène qui est à notre source.

Nous ne pouvions ni entendre ni voir ceux qui nous faisaient, ni ce qui nous faisait, ni comment cela se faisait, avant que nous fussions. Il se trouve que les hommes oublient qu'ils ne sont pas avant d'être.

Mais nous mentons : nous croyons toujours que nous avons entendu quelque chose dans l'ombre, avant d'être sujets à l'air atmosphérique, avant que nos yeux se soient ouverts à la clarté du soleil.

Nous nous sommes construits dans l'ombre. Passivement dans l'ombre. Nous sommes les fruits de l'oreille sans paupières de l'ombre.

*

In umbra voluptatis lusi.
J'ai joué à l'ombre des plaisirs.
Ce mot si simple est dû à Pétrone.
Il faut traduire plus précisément encore : J'ai joué dans *l'ombre de la jouissance sexuelle.*

*

In umbra voluptatis.
L'ombre du plaisir. Alors que nous naissons, nous sommes encore des *ombres du plaisir.*

De vita contemplativa : le berceau. Inactifs. À peine pulmonés. Serrés, tassés dans notre nudité.

Dans la mythologie des anciens Étrusques, c'est Tagès, sage à la taille d'enfant et à la chevelure grise.

Roi du dernier royaume.

Tagès le roi muet et *infans* qui laissa des livres : *Libri Tagetici.*

CHAPITRE III

Il appartient à la structure du langage d'être son propre tiers.

L'écrivain comme le penseur savent qui est en eux le vrai narrateur : la formulation.

Voilà ce que je fais : le travail du langage pesant, pensant, penchant, dépensant lui-même.

CHAPITRE IV

L'aurore surgit brusquement et rapidement. Elle éparpilla d'un coup ses particules d'or sur les bords des nuages, sur les pics, sur les cimes des arbres, sur les éclaboussures du torrent. D'un coup tout s'éveilla. Eux aussi. Eux aussi grelottèrent. Eux aussi se mirent debout alors.

Le dimanche 7 décembre 1941, jour où les Chrétiens s'approchent de leur idole pour aimer Dieu, l'aube s'étant levée, 188 bombardiers arrivèrent sur la côte d'Hawaï.

Ils survolent la baie de Pearl Harbor. Ils coulent 18 navires, détruisent 357 avions, tuent 2 403 hommes.

Ceux qui sont saisis de frayeur ne peuvent ni bouger leurs mains ni mouvoir leurs pieds. Ils restent sans parole.

Ils se penchent vers leur destruction.

*

Deux tours plus hautes que celle de Babel s'effondraient *exactement comme les grands bouddhas de pierre de Bamiyan.*

*

La première guerre civile à l'échelle du monde.

*

Vos pas ont commencé à chanceler : *labavit gressus.* Vos regards à se troubler : *caligavit aspectus.* Vos entrailles à se soulever : *tremuerunt viscera.* Vos mains à retomber sous leur propre poids : *brachia conciderunt.* Votre langue tremblante s'est arrêtée et n'a prononcé qu'à peine les paroles qu'elle espérait articuler : *lingua haesit.* Alors on vous vit approcher de l'autel où l'on vous conduisait pour sacrifier aux idoles, tremblants, abattus, comme si l'on vous y avait conduits pour y être immolés vous-mêmes : *ara illa quo moriturus accessit, rogus illi fuit.*

*

Terre confisquée par un territoire de la terre. (Impérial, religieux.)
Terre perdue dans le monde « unaire », « humain », « divin » qui ne se reconnaît plus comme terre.
Nature où l'ensemencé ne reconnaît plus la semence.
Être où l'origine est perdue.

18

*

Massillon : Si le père ne retrouve pas sa ressemblance dans son fils, où est le père ? Et si le fils n'encourt pas l'abandon, où est le père que l'abandonné réclame dans le ciel ? Si nous n'embrassons pas l'abandon et l'angoisse, la passion, la nuit de l'agonie, nous ne sommes que des images infidèles, des pierres de rebut mal taillées qui ne peuvent plus entrer dans l'édifice et qu'on ne peut assortir à rien.

CHAPITRE V

Nordstrand

Arnauld et Nicole se cachèrent dans les Ardennes. Ils disaient qu'ils étaient deux taupes qui cherchaient à avancer de façon invisible sous le sol de ce monde.

Voltaire disait d'Arnauld que le plaisir d'écrire en liberté lui avait tenu lieu de tout.

L'abbaye de Port-Royal conçut le projet d'acheter une île en Amérique et de s'y établir comme les Puritains persécutés venaient de faire.

Ils avaient jeté leur dévolu sur l'île de Nordstrand sur les côtes du Holstein.

*

Je cherche sur une carte géographique le nom de Nordstrand. Je cherche les côtes du Holstein. Je comprends tout à coup qu'il n'est pas singulier que je ne les découvre pas dans l'air atmosphérique. Où est le perdu ? Où s'est perdu le perdu, là est situé le *dernier royaume.* J'ai demandé à la levée de la Loire une part de son ombre. Puis je l'ai inventée. Puis elle m'a accueilli.

*

Rancé a écrit à Retz en 1673 : Tout fuit avec une vitesse effroyable.

L'autre mot de Rancé : Le temps est perdu.

Le temps humain comme Royaume où le Perdu règne. Ses traces s'effacent à une vitesse effroyable qui nous emporte tous. *En s'effaçant cette vitesse fait tout tomber.* Dans le chaos des guerres religieuses et civiles il semble que chacun ne songe qu'à son enfance qui s'efface avec lui.

Les hommes et les femmes oublient vite les joies génitales pour reproduire les peurs qui entouraient leur attente si vague durant le temps pas encore sémantisé de leur si longue enfance.

Vieillards ils la répètent au point de s'involuer en elle. Ils retournent la paille en radotant. Ils l'aiment au point d'y mourir.

*

Nous vivons en 1571. Une atmosphère de Saint-Barthélemy hante les banlieues. Les guerres de religion recommencent. La démocratie est une féroce religion protestante. L'Islam est une terrible religion sexuelle. Il n'y a jamais eu autant de mythes, concurrences de mythes durant l'histoire humaine, que

maintenant : Femme divinisée. Mort adorée. Démocratie plus violente et plus inégalitaire qu'au temps
de Périclès. Guerre du sujet contre lui-même dans la
névrose qui n'est que le récit secret de l'assujettissement. Fétichisme technicien. Jeunisme grégaire sauvage. Pis que sauvage : dédomestiqué, psychotique.

*

Nul ne saute par-dessus son ombre.
Nul ne saute par-dessus sa source.
Nul ne saute par-dessus la vulve de sa mère.

*

Qui n'aime ce qu'il a aimé? Il faut aimer le perdu
et aimer jusqu'au jadis dans le perdu.
Jusqu'au jardin dans l'extinction de la nature et
jusqu'au Paradis dans le Jardin.
Il faut aimer le manque et non pas chercher à
s'émanciper de lui.
Il faut aimer la différence sexuelle ;
aimer la nudité dans les orifices de la nudité ;
aimer la perte.
Il faut adorer le temps.

*

Il faut renoncer à l'idée de liberté afin de désobéir
encore. Il faut renoncer à l'idée de liberté en sorte
de s'émanciper encore. Il faut détester le mainte-

nant, ce qui s'accroche dans le maintenant, ce qui prétend maintenir la réalité et la tension des forces qui l'arriment. Il faut haïr ce qui interdit tout accès à l'imprévisible et à l'irréversible. Il faut aimer l'irréversible. Il faut creuser l'écart entre l'événement et le langage.

Il ne faut jamais sortir de jadis, du corps, de sa joie, du péché, de la génitalité, du silence, de la honte, de l'anecdote, du « Il était une fois », du privé, de l'incompréhensible, de l'incomplet, du caprice, de l'énigme, du plus humble des faits divers, de la plus ridicule rumeur remontant à la plus petite enfance.

*

Alors que nous n'étions dans la vie qui précède le jour qu'une audition passionnée, par la naissance nous devenons producteur du son.

Dès que nous quittons les sons, dès que nous délaissons l'injonction et l'oreille, dès que nous décomposons tout *à la lettre*, nous désobéissons.

Surgissant dans la lumière, suffoquant dans l'air, nous pouvons soulever les paupières et voir, nous pouvons baisser les paupières et nous interrompre de voir, nous pouvons respirer, nous pouvons expulser par la bouche le langage que la bouche de nos mères insensiblement y dépose.

*

Je préfère le mot intrusion à celui d'exception parce que le mot *intrusus* est plus proche de la naissance. Je ne crois pas que l'art puisse jamais être négatif. Il ignore la négation parce qu'il ignore le temps. Avant d'échapper à la norme il s'approche du vivant. Il n'est pas excentrique : il est au cœur du centre. Il est l'acte, l'actitude de l'acte, l'exactitude du *tao*. La création ne se soustrait à rien du monde et à rien de la vie.

C'est la vie même. C'est la voie même.

Intro-ire en latin veut dire aller-dans. C'est entrer dans la voie de la vie. C'est naître.

Intrusus est celui qui entre avec force, qui s'introduit si violemment, sans droit à le faire, de sorte qu'on le chasse. C'est *celui qui n'est pas invité*. Telle est la magnifique définition commune du mot intrus.

CHAPITRE VI

— Ne respirez plus !

Je n'étais pas chez le photographe. J'étais dans le service de radiologie de Reykjavik. C'est le mot de toute société à ses citoyens : « Ne respirez plus. »

CHAPITRE VII

Le nourrisson

En 395, alors qu'ils se trouvaient dans la Sainte-Chapelle de Candes, saint Brice déclara :

— Martin est un radoteur.

Saint Martin s'approcha de saint Brice. Il lui dit :

— Éloigne-toi ! Éloigne-toi ! Mes oreilles sont trop près de ta bouche pour que tu parles.

Malgré cela, après la mort de Martin, Brice fut élu évêque par la communauté de Tours.

*

Bien des années après que saint Brice fut devenu évêque, une religieuse tourangelle, qui se trouvait être sœur lavandière dans son couvent, mit au monde un fils et nomma saint Brice pour le père. La cité de Tours se rassembla, gronda, prit des pierres, les lança contre saint Brice. Le peuple criait :

— Tu es luxurieux. Tu as pollué une sœur lavandière. Nous ne pouvons baiser un doigt qui s'est sali. Rends-nous ton anneau.

Brice répondit simplement :

— Amenez-moi l'enfant.

On amena l'enfant qui n'avait que trente jours. Il était dans les bras de sa mère, à moitié endormi. Il ne pleurait pas.

Saint Brice les fit venir tous deux sous la voûte, dans l'abside.

L'évêque de Tours se pencha vers le nourrisson et lui demanda en présence de tous :

— Est-ce moi qui t'ai ensemencé ?

Le bébé ouvrit tout grands ses yeux mais ne répondit pas.

Saint Brice posa sa question en latin.

— *Si ego te genui ?*

L'enfant de trente jours répondit alors aussitôt :

— *Non tu es pater meus.* (Ce n'est pas toi qui es mon père.)

Alors le peuple demanda à l'enfant qui était son père. Mais l'enfant dit, toujours en latin, que, s'il se souvenait du visage de l'homme qui était monté sur sa mère à l'instant où il avait été conçu, comment connaîtrait-il son nom ? Il dit encore : Ce n'était pas exactement son nom que mon père murmurait alors à l'oreille de ma mère. Bref, tout ce que le nourrisson pouvait assurer, c'est que cet homme n'était pas saint Brice. Or le peuple, mécontent de la réponse que lui avait faite le nourrisson, désirait toujours lancer ses pierres.

On décida de faire une ordalie afin que la colère de tous fût désarmée.

Le forgeron mit des charbons ardents dans les mains de l'évêque.

La foule demanda à Brice de porter les braises toutes rouges jusqu'au tombeau de saint Martin.

Brice traversa la Loire.

Tout le monde le suivait en murmurant. Or, après qu'il eut posé les tisons ardents sur la pierre tombale de Martin, les paumes qui les avaient contenus étaient intactes.

*

Alors la foule se retourna contre la mère du nourrisson.

On dénuda les seins de la religieuse lavandière. Un jeune homme les lui coupa.

Cela exécuté, le corps de la femme était non seulement couvert de sang mais aussi de lait parce qu'elle était encore à nourrir son enfant âgé de trente jours. La religieuse fut lapidée par les Tourangeaux en raison de son mensonge.

CHAPITRE VIII

Rome était lointaine. Elle s'éloignait. De maîtresse, elle était devenue souvenir. De souvenir, elle devenait un fantôme. L'idée même d'un centre pour l'espace de la terre était devenue un être pareil aux animaux qui bondissaient dans les songes de la reine Basine.

Le dernier roi des Romains a un nom.

Un pontife, qui était lui aussi de Tours, lui a consacré seize lignes qui ont maintenu sa mémoire.

Il s'appelait Syagrius. Il était le fils d'Aegidius. Il ne portait ni le titre de maître des milices, ni celui de duc, ni celui de patrice, que son père avait portés. À la fin des années 470 ces mandats avaient été révoqués.

On l'appelait simplement *rex Romanorum,* le roi des Romains.

Le siège du dernier royaume du dernier roi des Romains était Soissons. Clovis marcha contre lui avec l'appui des hommes de Ragnacaire.

Soissons était la cité la plus nombreuse et la plus

commerçante de la Gaule Belgique. Elle surplombait, du haut de la colline, l'Aisne, un ponton de bois, un grand porche de marbre au départ de l'eau, soixante barques.

Les constructions privées y étaient opulentes, vastes, dissimulées, merveilleuses.

Les ateliers militaires de cuirasses et de balistes avaient acquis un renom qui outrepassait la ligne frontière qui bornait l'empire.

C'est au nord de la ville que s'étendait le château d'albâtre où résidait le dernier roi. Outre Sofiius son notaire, gardien de sa bibliothèque, l'entourait une cour de citharistes, de corneilles, de femmes pour jouir, de capitaines, de merles qui parlaient, d'astrologues, de livres fantastiques, d'amphores, de chiens qui aboyaient, de chênes. Chaque jour, dans le sanctuaire du palais, Syagrius se dérobait aux yeux des familiers pour sacrifier aux dieux interdits ; il ne s'agissait pas des deux cordonniers martyrs ; il s'agissait de lire en silence sur un rouleau de papyrus d'Égypte les exploits d'Énée.

*

En 451 Attila avait épargné Soissons.

En 486 Chlodovecchus, roi de Tournai, envoya un défi à Syagrius, dernier roi des Romains, sous la forme d'une fille nue souillée du sang de ses mois dans le dessein de lui porter malheur.

Syagrius plaça son armée devant Soissons entre Juvigny et Montécouvé.

Le roi Chararic monta sur la crête de la colline et regarda, en compagnie de ses guerriers, ayant juré sur l'intégrité de sa chevelure que le pacte d'amitié irait au vainqueur.

Les forces franques vainquirent.

Alors Chararic se rallia à Clovis.

Syagrius prit la fuite à cheval et chercha refuge auprès du roi des Visigoths, Alaric, qui était alors roi de Toulouse. Ce dernier, comme il tremblait de soumission devant la colère du roi de Tournai, lui livra son hôte au mépris de la coutume. Il déposa, attaché par les mains et par les pieds comme un gibier, le dernier roi des Romains dans une charrette qui sortit de Toulouse à la brune, qui passa la frontière gothique à la nuit noire.

C'est ainsi que le dernier roi des Romains fut livré aux Francs.

*

Le roi Chlodovecchus – c'est-à-dire Clovis – prit son épée, racla tous les cheveux de la tête de Syagrius – c'est-à-dire du dernier roi des Romains – qui saignait et le mit aux fers dans une cave calcaire de la vallée de la Loire. Clovis attendit l'allégeance de tous puis, en secret, il fit couper la tête du roi d'un coup. Les cheveux qui étaient repoussés avaient la taille de deux doigts et, comme ils ne formaient pas de boucles, le roi Chlodovecchus ne pouvait pas tenir la tête par le sommet du crâne pour la présenter à ses gens.

Clovis déclara qu'il vengeait sur le dernier roi des

Romains la mort des rois francs ses aïeux : cent soixante-dix ans plus tôt, ils avaient péri sous la dent des ours dans l'amphithéâtre.

Syagrius demanda, alors que l'épée du premier roi des Francs s'approchait de lui, se reculant dans l'ombre de sa geôle, où étaient les champs élysées et les dieux qui les protégeaient.

Clovis fit de Soissons sa ville royale. C'est lors de cette campagne que Clovis prit les vases des églises.

*

La beauté peut être appauvrissante. La légende qu'a retenue l'histoire s'écarte de la chronique de Grégoire. Le texte du Tourangeau est le suivant : *Quem Chlodovecchus receptum custodiae mancipari praecepit, regnoque ejus accepto, eum gladio clam feriri mandavit. Quaesivit cum moriebatur ubi essent umbrae.* Mot à mot : Dès que Clovis eut reçu (Syagrius des mains d'Alaric) il donna l'ordre qu'on le mît sous bonne garde puis, après qu'il eut pris possession de son royaume, il commanda qu'il fût égorgé secrètement. Tandis qu'il expirait il demanda où étaient les ombres.

*

On ne sait ce que le dernier roi des Romains voulut dire en mourant.

Quaesivit cum moriebatur ubi essent umbrae.

Il demanda en mourant :

— Où sont les ombres ?

*

Entendait-il par là les âmes aux Enfers comme la légende l'a compris? Voulait-il nommer avec pudeur les dieux de l'Olympe enveloppés dans la nuée par laquelle ils voyagent? Désignait-il Aegidius son père? Les milices des Gaules dont il était le prince? Les liens qu'avaient tissés, du temps de son père, le roi Childéric ou son épouse, la reine Basine? Ou bien du temps de son grand-père le roi Mérovée? Pourquoi le fils de Childéric n'avait-il pas respecté le serment contracté avec le fils d'Aegidius? Où étaient les ombres pour témoigner de la parole donnée? Et devant la parole rompue, devant l'alliance brisée, à l'instant de ce meurtre dans l'ombre, n'auraient-elles pas dû avoir à cœur de crier dans les forêts ou dans les temples, de soulever les vents et de maudire?

*

La légende qui a été retenue n'est pas vraisemblable.

Les ombres invoquées par Syagrius ne sont pas celles de l'enfer des Chrétiens. Syagrius mourant n'est pas Dante à Ravenne.

« Il demanda où sont les ombres » veut plutôt dire : Venez à moi, les pères respectueux de la parole donnée. Vous avez combattu côte à côte à la bataille d'Orléans. Immobilisez des doigts qui cherchent en vain à empoigner ces cheveux qu'ils ont tondus et arrêtez ce glaive sur ma gorge !

*

Ou encore la question *ubi sunt umbrae* a pu vouloir
dire : Venez, Érinyes. Vengez le meurtre commis
dans l'ombre. Faites retomber le sang sur les enfants
du petit-fils de Mérovée et qu'il en soit ainsi de génération en génération !

*

Quaesivit cum moriebatur ubi essent umbrae. Le roi
demanda : Où sont les guêpes jaunes quand la neige
tombe sur le chemin glacé ? Où est l'enfer ? Mon
père, quand il poussa un petit cri et me conçut, avait
les yeux ouverts sur quoi ? Où est Virgile ?

CHAPITRE IX

Le vase

Une main terrible est intervenue brusquement sur la terre : celle d'un échange unique qui n'a d'autre fin que sa prise, qui n'a d'autre moyen que la pression qu'il exerce, qui n'a d'autre rythme que la monotonie de son accroissement. Cette main a imposé sa concorde ; c'est celle d'une indulgence despotique. Elle a le son vert et neuf d'un dollar qui craque – et dont le crissement cherche à surmonter la voix des langues. Des marchands s'adressent pour la première fois à l'entièreté du marché qu'ils sont parvenus à façonner. Cette ultime invasion les excite mais aussi elle les borne par l'unité où elle les assujettit. Leur intérêt consiste à vendre ce qui se fabrique au meilleur prix à tous c'est-à-dire au genre humain. Ils fomentent des révolutions dans les derniers empires dans le dessein d'en franchir les frontières. Ils s'appuient sur la terreur pour vendre la paix. En un seul instant ils soumettent au désir de l'espèce un unique objet dont la durée passe rarement la journée de son acquisition. Cet objet est si friable qu'il est presque une image de lui-même. C'est un vase pris dans une basilique près de Soissons par exemple, couvert d'or, et qu'on brise. Malheur à qui ne travaillerait pas à s'empresser autour de cette richesse qui brille aux yeux de tous et à l'étendre. Malheur à celui qui a connu l'invisible et les lettres, les ombres des anciens, le silence, la vie secrète, le règne inutile des arts inutiles, l'individualité et l'amour, le temps et les plaisirs, la nature et la joie, qui ne sont rien de ce qui s'échange et qui constituent la part obscure de la marchandise. Chaque œuvre d'art peut se définir : ce qui électrocute cette lumière. Chaque phrase dès l'instant où elle est écrite peut se définir : ce qui fait sauter l'écran où se montre le visage de plus en plus vague d'une classe unique d'animaux vivipares fascinés. Le destin de ceux qui usent du langage n'a pas toujours été l'hypnose.

*

Quaesivit : ubi sunt umbrae ?
Le dernier roi des Romains descendant aux Enfers demandait aux Enfers :
— Où est l'enfer ?
Et où les ombres ?
Où les rives qui longeaient le fleuve l'Achéron et l'eau si faible ?
Où les Champs Élysées et les grottes de Cumes, l'Érèbe et les âmes transparentes et blanchâtres des morts ?

Les robes pleines de sang égoutté, les torches et les trois Érinyes?

La barque bleue de Charon?

Où est la mort?

*

C'est la deuxième fois que l'humanité touche à l'unité.

Le fond d'horreur à partir duquel elle se profile, elle l'a inventé de toutes pièces.

Il n'y a plus moyen de discerner entre guerre mondiale et guerre civile dès l'instant où il n'y a plus qu'un seul monde.

La deuxième guerre mondiale au cœur du siècle qui précède a dissous à jamais l'idée d'humanité dans l'humanité.

L'avenir concerne l'écorce de la terre et la vie qui l'avait recouverte du fond des mers jusqu'au haut des montagnes.

Le passé, les tombes, la mémoire, les histoires, les langues anciennes, les livres qui furent rédigés autrefois, les traditions religieuses, politiques, artistiques, individuelles qui furent délaissées, arrachés à l'entrain légendaire qui les avait mis les uns après les autres au jour, sont à jamais disjoints du réel. Les langues qui ne connaissent plus de bouches pour les dire, on les dit même mortes. Ce sont pourtant des trésors de joie qui s'accumulent. S'accumulant cette joie se concentre. La signification, la surprise ne s'en sont pas enfuies. L'avenir qui est à venir ne doit pas venir mais surprendre. L'ombre y est engloutie. « Où sont les ombres si je ne suis plus ? » s'interrogeait le dernier roi du monde ancien quand il eut quitté le château d'albâtre qui surplombait l'Aisne. Ce sont des ombres qu'il faut opposer aux images.

CHAPITRE X

Te loquor absentem.

Absente je te parle.

C'est toi, unique, que ma voix nomme derrière tout ce que je désigne.

Aucune nuit ne monte sans toi.

Aucun jour ne s'élève.

On disait de Hiéron de Syracuse : Il ne lui manque,

    pour être roi,

    que le royaume.

CHAPITRE XI

Cras

Zenchiku a écrit : Ce qui échappe à l'oubli, tel est le passé en personne.

L'autre fois est le *primum tempus* quand il revient.

Le passé est édifié dans chaque vague du temps qui avance. Le passé dont disposent les contemporains n'est même pas le même à chaque fois qu'il monte du royaume de l'ombre. Le passé de Mallarmé n'est pas celui de Michelet; ni celui de Rembrandt celui de Vermeer; ni celui de Tchouang-tseu celui d'Héraclite; ni celui de Cervantès celui de Shakespeare.

Ni celui d'Emily Brontë celui de Charlotte.

Le passé vit aussi nerveusement et aussi imprévisiblement que le présent où il avance son visage.

Le passé est plein de tics mais aussi regorgeant de souhaits dans l'ombre.

C'est l'ensemble du temps qui à chaque fois est transformé par la barque, le haleur, le chemin qui suit la rive, les chevaux du temps, leurs cabrioles, le temps qu'il fait, la faim.

Le temps est le jeu qui est laissé au sein de la situation présente entre les jaillissements, les pentes, les vitesses, les épanchements du passé. Ménélas dit avec violence à Agamemnon :

— Tu ne sais pas ce que tu veux : aujourd'hui, hier, demain, toujours autre chose.

L'irrésolution est une possibilité plus profonde que la liberté, le hasard une disposition plus ingénieuse que la tactique, l'oubli, la colère, l'espoir affamé, le guet bondissant tout à coup sont des effets, non de l'être, mais du temps.

Chaque œuvre est comparable à un pan de roche s'écrasant dans l'eau ; chaque saison de même ; des cercles s'y propagent ; ils se perdent dans le futur qui s'y répète comme dans le passé qu'ils inventent ; ils sont perdus mais ils ne sont pas disparus ;

ils ne sont pas disparus que déjà une autre pierre tombe comme la

terre elle-même jadis est une pierre tombée dans l'espace,

y vécut peu à peu dans la lumière et l'eau, les fleurs, les oiseaux et les rêves, le langage, la mort,

y disparaîtra.

CHAPITRE XII

Dans la vallée, devant l'hôtel, il y avait des chevaux couchés dans un champ, la tête dressée, ni éveillés, ni endormis, comme des fauves dont la faim s'est absentée, comme des fauves que la sauvagerie a abandonnés, comme des souvenirs de grands fauves entourés de fils de fer barbelés. L'un s'ébroua quand je m'approchais et se dressa en titubant dans l'herbe pour venir vers moi dans un mouvement d'une maladresse, d'un déséquilibre, mais aussi d'une élégance stupéfiante, comme s'il s'éveillait de quelque millénaire.

Épicure a écrit : Chacun sort de la vie comme s'il était à peine né.

CHAPITRE XIII

La barque

La lumière fluide et dorée coulait du fond du ciel sur l'Yonne.

Devant moi, sur le fleuve, dans l'obscurité, la silhouette enduite de lumière d'un bateau plat, vide, qui semblait vide, allait assez vite, descendait en silence.

— Je te dérange?

Il était devant moi, se retenant à la rive à l'aide de sa rame jaune.

— Donne-moi la chaîne, lui dis-je.

Il me la tendit.

Je la fixai au petit débarcadère en bois qui brinquebale devant mon ermitage.

Mon ami posa les pieds sur la rive.

— Tu avais l'air si absorbé...

— Je t'attendais.

— Non. Tu ne m'attendais pas. Tu pensais visiblement à autre chose...

— Je glissais sur le fleuve.

CHAPITRE XIV

Les nuages noirs dans le ciel, comme ils se déchiraient, la voûte bleue parut soudain dans un état de nudité dont il m'est difficile de donner l'idée. Le bleu était frais et luisant au fond du ciel noir.

CHAPITRE XV

L'ombre

En 1933 Tanizaki publia un court texte où il disait qu'il regrettait l'ombre. Je pense que ces pages comptent parmi les plus belles de tout ce qui fut écrit dans les différentes sociétés qui surgirent au cours des temps – sociétés qu'ont fragmentées les différentes langues naturelles dans l'histoire générale de ce monde. Ce regret était d'autant plus poignant qu'il était argumenté de façon provocante. Tanizaki y exprimait sa nostalgie pour les lieux d'aisances presque obscurs de l'ancien Japon. Lieux qui n'étaient déjà plus tolérés par l'ensemble de la société nippone soudain acquise à la volonté générale d'excréter dans la lumière puritaine, impérialiste, américaine, éblouissante des néons, dans une cuvette de porcelaine immaculée, entourée d'un carrelage blanc, hygiénique, luisant, dans l'odeur de fleur feinte.

*

Junichirô Tanizaki disait qu'il regrettait le pinceau moins sonore que le stylo ;

les objets de métal ternis ;

le cristal opaque et le jade trouble ;

les traînées de la suie sur les briques ;

l'effritement des peintures sur le bois ;

la trace de l'intempérie ;

la branche brisée, la ride, l'ourlet défait, le sein lourd ;

le déchet d'un oiseau sur la balustrade ;

la lueur insuffisante et silencieuse d'une bougie pour dîner ou celle d'une lanterne suspendue au-dessus de la porte de bois ;

la pensée plus libre ou hébétée ou vacillante qui s'élève dans la tête humaine quand elle s'enfouit dans l'ombre, l'âme se portant davantage à la frontière des dents ;

la voix plus basse et hésitante qui accompagne la braise de la cigarette sur laquelle se posent les yeux ;

le goût plus persistant de ce qui est mangé et l'impression moins obsédante de la forme et de la couleur des mets au fur et à mesure qu'on vieillit – la cuisine se reliant progressivement à l'ombre du corps qu'elle rejoint.

*

Dans la cuisine, le plus beau, c'est le Perdu qui y règne sans cesse. Le destin qui hante la proie qui a été mangée constitue son ombre.

On la sent partout.

On est entouré de son parfum de mort, ou du parfum de sa mise à mort, au-delà de son déchet d'arête ou de carcasse.

*

Un haut-le-corps se saisissait de Junichirô Tanizaki devant l'étincellement de l'acier ;
le nickel ;
le chrome ;
l'invention de l'aluminium ;
la blancheur excessive et rebondissante du papier venu d'Occident ;
toute faïence, tout carreau de lunettes.

*

Il aimait la pénombre que développe le thé dans son monde chaud et liquide.

Et les couleurs que la petite feuille roulée déploie en filaments dans l'eau avant de s'y mêler.

Et le déchet rougeâtre et à certains égards automnal qui vient peu à peu gésir au fond du bol de porcelaine.

*

Il aimait l'affût lié aux ténèbres et à l'immensité flottante qu'elles ajoutent.

Il aimait les vêtements aux belles couleurs sombres dans les marrons ou les gris.

Il disait que la densité de la pensée dans l'obscurité était extraordinairement proche de l'intensité de l'excitation dans la gêne.
La gêne à la fois envahit
et s'efface, quittant l'âme et
envahissant
le corps qu'elle tend.

*

Il regrettait l'art entendant par là le lien originaire que l'art avait noué avec l'artisanat manufacturier c'est-à-dire avec l'unicité des objets qu'il ajoute au monde.
Il aimait les bols obscurs.
Il aimait les murs de sable.

*

Il aimait l'indigence de la clarté sur le corps d'une femme qui ne retire les linges qui enveloppent son ventre glabre et ses mamelles nues que pour les confier à la pénombre ; son odeur est plus forte ; sa peau plus nue est plus douce ; ses traits, étant plus fantomatiques, sont plus féminins ; elle remonte du passé ; elle n'est pas en désaccord avec l'obscurité de son sexe qui s'entrouvre et elle fait ressouvenir que c'est le vieux séjour.

*

Il ne distinguait pas l'ombre des traces du passé. Il regrettait la poussière sur les boîtes ainsi que la rouille sur les couteaux, les clous, les vis à têtes aplaties.

Il regrettait la lune comme seule lumière nocturne dans les piètres séjours;

les sous-bois et leurs animaux effrayants;

l'ombre passionnante qui se meut et se retire sous les pantalons et les robes;

l'audition de la musique en mouchant les lampes.

*

La position esthétique de Junichirô Tanizaki fut toute sa vie résolument antinaturaliste. Jamais il ne céda d'un pouce sur le caractère mensonger des conceptions et des narrations.

Le langage est un mentir.

On appelait Pluton le Roi de l'ombre.

L'écrivain est le langage qui se dévore lui-même dans l'homme dévoré par le mentir qui en fait le noyau.

*

Il n'est pas de menteur qui ne taise le fait qu'il ment.

Le romancier est le seul menteur qui ne tait pas le fait qu'il ment.

*

Le secret est le seul lien entre les individus, dans l'ombre sociale, dans la pénombre sexuelle, qui se cherchent, puisque ce qui se prétend non dissimulé n'est qu'apparence.

*

Il y a dans lire une attente qui ne cherche pas à aboutir. Lire c'est errer. La lecture est l'errance.
(Méfiez-vous des chevaliers errants! Méfiez-vous des romanciers!)
Chrétien de Troyes nommait le groupe de *Ceux qui vont par les étranges terres les étranges aventures quérant.*
(Méfiez-vous des chevaliers errants! Ils cherchent l'aventure; le malheur les attire.)

*

Le mensonge, la métamorphose luttent sans fin contre le réel, contre l'état des choses, contre la vente des hommes, des animaux, des objets, contre les commandements du langage et la tyrannie des rôles dans le fonctionnement des groupes. Tanizaki considérait que la position individuelle nocturne était l'autre pôle de l'ordre national solaire du Levant.

*

Il me faut ajouter aussitôt des listes aux listes auxquelles Tanizaki procédait.

Les listes de Li Yi-chan et celles de Marc Aurèle, plus crues, plus honteuses.

Les listes de Sei Shônagon ou de Shafestbury, plus raffinées et puritaines.

Les listes de *Memor* qui sont celles de l'ombre que projetait jour après jour la vie.

CHAPITRE XVI

Liste de l'an 2001

La surface des eaux qui croupissent depuis les premières migrations sur les villages palafittes dans les lacs étrusques gris.

Les mares dues à la pluie et sur le pourtour desquelles des minuscules grenouilles noires comme de l'ébène sautent soudain.

La grande vague blanche sur la grève de Carnac à dix heures.

La sordidité des ombres dans la boîte à ordures de Paris quand on soulève en hâte le couvercle pour y glisser une boîte de conserve de thon vide.

La bave des escargots sur les feuilles ou sur la terre séchée entre les épis.

Les doigts à la fois poisseux de sucre et maculés de boue des petits enfants à Sens.

La manche de la veste en soie bleu foncé usée.

*

Le tas de poudre s'accroissant inexplicablement que le balai pousse devant lui en quelque lieu que ce soit dans ce monde.

*

La poire blette et tout humide de son jus et ses larges et épaisses épluchures sur le plateau en bois circulaire de la chaise haute contre le mur de la cuisine de Verneuil.

L'odeur de bouse vieille et de foin quand on entrait soudain dans l'obscurité et la fraîcheur de l'étable à Garet dans le Périgord il y a trente ans.

Un enfant qui ouvre sa bouche et veut vous montrer une carie sur une dent de lait laquelle, une fois tombée, va être placée dans l'ombre du trou de la souris.

Le cheveu noir perdu dans le peigne de corne qu'a laissé posé sur la tablette la femme qu'on désire encore.

CHAPITRE XVII

Je me suis dit : « Je vais aller y voir. Je vais aller voir ce que j'ignore. Mes lèvres vont trembler. Je vais souffrir. Pourquoi pas ? »

*

À l'écran une bonne image est un visage qui n'introduit pas d'ombre.

S'il se trouvait qu'un écrivain plût en se montrant, c'est son corps qu'on rechercherait et non sa voix perdue, sa voix égarée et presque silencieuse sur la page.

Tout être qui se montre tourne le dos au royaume qui n'est pas visible.

*

Écrire n'est pas une manière d'être naturelle de la langue naturelle. C'est un langage qui est devenu étranger au dialogue. C'est un langage étrange. C'est le langage devenu langage-à-être. Écrire, jadis, dans les premiers empires néolithiques, arracha l'humanité préhistorique aux mondes onirique et imaginaire. L'humanité prégénérique était ensevelie dans ses grottes à images comme dans ses rêves. L'humanité spécifique, par-delà la langue orale, admonestative, hypnotique, mythique, fit fleurir du langage isolé sous forme de lettres.

À partir de l'écrit elle engendra du langage plus seul, du langage sans contexte, une langue intérieure, le secret, une part d'ombre entièrement neuve.

La morale dominante recourant de nouveau à la voix dans l'image, voix provenant de l'image, est de nouveau un monde de morts déifiés et despotiques qui traitent les hommes comme des enfants ou des esclaves.

Comme des passereaux, comme des alouettes, comme des taureaux : pains, miroirs, chiffons.

CHAPITRE XVIII

Sur l'arrestation de Monsieur de Saint-Cyran
le 14 mai 1638

Il y a dans la pensée de Monsieur de Saint-Cyran une conception si intransigeante de la liberté intérieure qu'elle eût dévasté n'importe quelle société. Du moins ce fut ce que Richelieu ressentit aussitôt en le recevant au palais du Louvre. Il eut peur. Et ce fut ce qui le poussa à le faire arrêter sans aucun motif le 14 mai 1638. Les problèmes théologiques ne furent invoqués qu'après son incarcération. Autant d'excuses doctrinales pour dissimuler une intuition qui avait d'abord pris les traits de la simple peur.

Il jetait sur le siècle un regard si absolu qu'il semblait condamner toute activité dans le monde.

Il niait en Dieu la légitimité des liens familiaux.

Il maudissait les activités professionnelles.

Il méprisait les devoirs politiques.

Il excluait tout lien qui ne fût qu'humain, qui ne fût que collectif, qui ne fût qu'universel.

Il prêcha une façon de vivre arrachant au monde avec une violence radicale.

Il posa violemment ce paradoxe, à l'extérieur de la clôture de Port-Royal des Champs, d'une Société des Solitaires.

L'homme devenait un Monsieur lointain qui voussoyait l'autre homme pour le fuir. Juste avant de se retirer à jamais dans la lecture divine.

CHAPITRE XIX

Monsieur de Pontchâteau avait fait son ermitage des Granges de Port-Royal des Champs.

Autrefois Monsieur de Pontchâteau avait fait collection de miniatures – avant qu'il s'entêtât des livres. Dès l'instant où il se plut dans leur lecture, il ne vécut plus que pour eux. Il avait toujours à la bouche ce mot qu'il avait lu dans l'*Imitation* :

— *In omnibus requiem quaesivi et nusquam inveni nisi in angulo cum libro.* (J'ai cherché dans tout l'univers le repos et je ne l'ai trouvé nulle part ailleurs que dans un coin avec un livre.)

*

Vivre dans l'angle – *in angulo* – du monde.

*

Dans l'angle mort – par lequel le visible cesse d'être visible à la vue.

Dans l'intervalle mort où les deux rythmes humains (cardiaque puis pulmonaire) s'agrippent et autour duquel ils engendrent l'extase sonore et peut-être la musique et, à partir de la musique, le temps.

*

Tel est le lac Averne et tels les portes et les abois qui sont sous le Tartare.
Tels les lacs que poursuivaient les anciens Étrusques en portant les têtes coupées et surmodelées de leurs ancêtres sur des épieux.
Tels furent la poix bouillante et Cerbère : le visible lutte contre l'invisible. Mais seul le visible brille. Seule sa victoire brille, puisque même sa défaite est brillante.

*

Il faut penser ce point : La victoire de l'invisible ne brille pas.

*

Un jour d'avril 30, on emmena Jésus de chez Caïphe au prétoire. C'était le matin. Le soleil se levait. Le gouverneur Pilate entra dans le prétoire et demanda à Jésus :
— Ta nation et les grands prêtres t'ont livré à moi. Qu'as-tu fait ?

59

Jésus répondit :

— *Regnum meum non est de hoc mundo.* (Mon royaume n'est pas de ce monde.)

*

Les vivants ne sont pas des ombres. Ce sont peut-être des morts enveloppés de vêtements et qui brillent.

Désormais ils sacrifient, les deux yeux luisants, habillés de la même manière, devant les mêmes écrans, avec la même envie.

Démagogique, égalitaire, fraternelle, ces mots désignent la même attitude : des meurtriers se surveillent du coin de l'œil. Ils participent à la même aversion pour toutes les supériorités. Ils sont tous blottis les uns contre les autres, serrant les mains sur leur anxiété comme si elle était un sexe qui était sur le point de leur être soustrait, quémandant une protection, un interdit, une chaîne, un médicament supplémentaires.

Cet effroi devant l'indépendance et le désir se métamorphose naturellement en haine contre ceux qui revendiquent un peu d'ombre dans le dessein de dérober à la vue de tous leurs jouissances.

Pour eux la liberté est une émeute.

Ils ont peur s'ils ne dorment pas.

*

Walter Benjamin a écrit au début du siècle dernier que les inventions de la photographie et de la cinématographie avaient introduit, à l'intérieur même de ce qu'elles avaient mis au jour, *l'absence d'ombre.*

*

Deux arts anéantirent l'aura vivante des jeux de l'ombre et de la lumière au sein de la nature.

Les photographes, à côté de la technique de l'éclairage, en plus du mot de « prise », employèrent le mot de « définition » pour évoquer la netteté des contours des êtres au sein des « négatifs ».

Prise, prédation qui arracha le voile d'ombre qui parcourait les chairs pour tous les hommes qui les imaginaient.

Qui amenuisa le flou d'éloignement qui entourait la chair qui se dénude.

Ombre que le corps s'apprêtant à aimer calculait plus ou moins en se dépouillant, dans la retenue ou la gêne, avant de s'épancher dans l'ombre où va sa joie.

*

On ne peut donner à la domination universelle lucifère un contrepoids visible sans qu'il sacrifie à son règne.

On ne peut lui opposer un mur d'enceinte ou une levée sans que sa puissance d'extension ne la rompe aussitôt.

Cet océan est dénué de rivages.

Tout est immergé.

Poissons qui montent encore à la surface. Une goulée pour ne pas mourir.

Goulée : lecture.

Pluton est le dieu de l'autre monde.

Il est *Celui qui voit dans l'ombre.*

Shakespeare a écrit : Pluton ferme les yeux tandis que joue Orphée.

Le *ploutos* en Grèce ancienne définissait la fortune qui brille dans la nuit, la fortune en argent et en or.

Ploutôn était le dieu Recéleur-des-trésors-enfouis-sous-la-terre.

Plutarque – *ploutarchos* – voulait dire en grec le maître des richesses enfouies.

Le latin *vulgus* traduit le grec *démos.*

Vulgarité est notre âme : langue vulgaire. Notre souffle *(psyché)* répercute l'écho de la langue du groupe *(vulgus).*

Vie intérieure familiale, linguistique, de plus en plus homogène, civilisée, collective : l'hétérogénéité n'est pas le destin de l'homme.

Homogénéité culturelle, historique, tel est le destin de l'homme.

Hétérogénéité naturelle, originaire, tel est le destin de l'art.

La fragmentation est l'âme de l'art.

Aux êtres égaux interchangeables des régimes démocratiques correspondirent les individualités imprévisibles des mondes romanesques. À la *stips* s'opposa la *littera*, au *vulgus* s'opposa l'*individuum*, au *negotium* démocratique s'opposa l'*otium* aristocratique.

*

Il y a un monde où les âges ne sont pas égaux, où les sexes ne sont pas indifférents, où les rôles ne sont pas équivalents, où les civilisations ne sont pas confondibles.

Il y a un monde où l'ignorant n'est pas l'égal du savant, où l'oral n'a pas la même « voix » que l'écrit, ni le *vulgus* que l'*atomos*, ni le barbare que le civilisé.

Il y a un autre monde.

*

Il y a un monde qui appartient à la rive du Léthé.

Cette rive est la mémoire.

C'est le monde des romans et celui des sonates, celui du plaisir des corps nus qui aiment la persienne à demi refermée ou celui du songe qui l'aime plus repoussée encore jusqu'à feindre l'obscurité nocturne ou qui l'invente.

C'est le monde des pies sur les tombes.

C'est le monde de la solitude que requièrent la lecture des livres ou l'audition de la musique.

Le monde du silence tiède et de la pénombre oisive où vague et se surexcite soudain la pensée.

*

Où la chair ou se dresse ou s'ouvre.

Nous sommes des vivipares. Nous avons vécu avant de naître. Il s'est trouvé que notre cœur a battu avant que nous respirions. Nos oreilles ont entendu avant que nos lèvres découvrent l'existence de l'air. Nous avons nagé dans l'eau sombre avant que nos paupières se soient ouvertes, avant que nos yeux fussent éblouis, puis aveuglés, puis vissent, avant que notre gorge se soit desséchée, puis se fût suffoquée un instant, puis vînt à manger de l'air, puis à imiter des mots dont l'*intonation* paraissait être rassurante.

*

Dieu repoussa l'amphore qui contenait le vin épais et noir.

Il se leva soudain de table, déposa ses vêtements de dessus, développa un linge dont il ceignit ses cuisses, prit un broc, versa l'eau dans un bassin, se mit à genoux, lava les chevilles, lava les pieds, lava les doigts de pied des jeunes hommes qui l'entouraient, lava les ongles des orteils de chacun de ses disciples.

Il essuyait les doigts de pied et il disait :

— *Si de mundo fuissetis, mundus quod suum erat diligeret. Quia vero de mundo non estis, propterea odit vos mundus.* (Si vous étiez du monde, le monde aimerait ce qui est à lui. Mais parce que vous n'êtes pas du monde, à cause de cela le monde vous hait.)

Alors il se tourna vers Pierre qui protestait de son amour et de sa fidélité et il lui dit avec irritation que lui-même qui se prétendait son ami nierait son existence trois fois avant que le coq qui crierait la montée du soleil dans le ciel du lendemain chantât.

*

Ils avaient rasé les maisons qu'ils avaient héritées de leurs pères. Ils ne leur élevaient plus de tombeau. Les trésors qu'ils avaient entendu léguer à la joie de leurs fils, ils les mirent dans les greniers, dans les caves, derrière les grilles des parcs, à l'intérieur des musées, dans les coffres des banques puis, comme ils avaient cessé d'en apercevoir la beauté, l'intelligibilité se retira d'eux. Même la rhétorique, au bord de la langue, qui permet de distendre le lien qui étrangle l'âme de chacun par l'usage de la langue du groupe, fut jetée à la voirie. Même la mort, dans le rite qui l'entourait, qui allégeait du poids de la parentèle, nous l'avons rejetée comme une ordure d'un autre temps dont la présence met mal à l'aise et dont la décomposition formelle et l'odeur ne doivent plus être infligées. La nature même, les anciens fauves, les rapaces, les forêts, les monstres, nous les avons soit éliminés dans les massacres, soit dévoyés en les domestiquant dans les fermes ou en en faisant les héros des zoos. Les anciennes exigences avec leurs noms, les prodigieuses voluptés avec leurs pudeurs, les fiers desseins avec leurs œuvres, les terribles peurs avec leurs chants ont commencé de perdre leur nom sur le pourtour des lèvres. Le temps venant, les déchets et les gravats, les palais croulant, les hommes et leurs cités recouvrant la terre des charniers et aplanissant les ruines, c'est la disparition elle-même qui disparut. La tyrannie de l'absence du langage humain complexe s'exerça sans plus trouver d'obstacle à la fascination lumineuse. Les images, les dépendances artificielles, les vêtements universels, les objets de l'industrie devinrent les idoles que tous convoitaient.

Les quelques-uns qui font l'écart entre le plus grand nombre et tous (empêchés par leur faiblesse et leur division de se prémunir) ont été écrasés.

La beauté, la liberté, la pensée, le langage humain écrit, la musique, la solitude, le second royaume, les plaisirs sursis, les contes, la petite oie dans l'amour, la contemplation, la lucidité, ce ne sont que des angles, ce ne sont que des noms divers pour nommer une seule chose, une seule implication entre le sujet, le réel, le langage. Peu importe ces noms. Leur souvenir s'est effacé au point que leur nostalgie ne fait même plus souffrir ceux qui sont nés après qu'ils avaient disparu.

*

À mesure que le monde vieillit, le monde s'éloigna dans le temps. À mesure que le passé s'éloigna dans le temps, plus irrémédiable parut sa perte. Plus irrémédiable sembla la perte, plus inconsolable fut l'abandonné qui en conservait dans son cœur l'incertain souvenir. À mesure que la perte aggrava l'abandon, la nostalgie se fit plus grande. Plus étendue se fit la nostalgie, plus lourde se fit l'angoisse. Plus l'angoisse se fit lourde dans le cœur, plus la gorge se serra. Plus la gorge se serra, plus le ressort de la voix fut remonté à cran et c'est la première aube et le premier soleil.

CHAPITRE XX

J'avais mis à sécher sur la terrasse de la vieille villa de Mogador ma chemise. Elle était blanche. La brume l'entourait, la prolongeait sur le balustre blanc. Je regardais la mer. La brume due au soleil qui se levait déjà envahissait le port punique.

Sur la gauche, la médina avait disparu sous la brume.

Il y eut une invasion de papillons.

*

La mer était sans écume, lissée, extrêmement brillante, resplendissante. Chaque vague était comme une grande tuile d'or qui s'élevait, qui avançait.

CHAPITRE XXI

La mouchette

La Chine ancienne et le Japon ancien se sont nourris de la doctrine des Indiens mais ils ne furent pas les seuls. Les comptoirs de l'ancien Empire d'Auguste et de Marc Aurèle l'ont accueillie et l'ont transmise. Les Sceptiques les relayèrent. C'est le royaume de Josaphat fils du roi Avennir. Josaphat est vaincu par Barlaam. Il lui dit : L'univers est un tissu d'images qui sont illusoires. Hommes montés sur des chars ; enfants à quatre pattes ; éléphants à six défenses ; palais d'or et dômes ; manteaux immenses de la neige ; rubis et lazulis ; instruments de musique à trois ou à cinq cordes ; quatre-vingt-quatre mille femmes ; croix gammée de l'année qui roule sur elle-même. Roue du paon est le monde. Il n'y a pas d'images qu'elles ne collaborent à l'illusion et à sa cour de stupeurs et qu'elles ne concourent à les reproduire et à aimer s'y reproduire sans fin. L'histoire est une suite de promptes intrigues qui se répètent sans finir en criant. On peut tenir la liste des meurtres, cela s'appelle : faire la chronologie des rois. L'espace étant cette chaîne d'images stéréotypées, le temps étant cet enchaînement de causes sempiternelles, celui qui n'a pas débité son passé est condamné à le revivre. Le réel n'est jamais une image de la réalité. Le réel est l'énigme. Le mot sanskrit qui dit l'énigme est le mot *brahman*. C'est un présent éternel et prodigieusement actif. Il présente deux traits : il est incompréhensible, il est hallucinatoire. Je pose l'hypothèse que l'allemand *ersatz* traduit le sanskrit *brahman*. L'âme qui dort est un spectateur qui regarde une représentation involontaire. L'esprit de celui qui dormait, lors du réveil, ouvrant les paupières, découvre un miroir vide. Il n'y a pas de dieux. La croyance est un rêve de mammifère. La politique, la procréation familiale, la vie sociale, la pensée métaphysique sont elles aussi des représentations de théâtre où l'âme rêve qu'elle joue un rôle, qu'elle va brandir son épieu, qu'elle est en train de poser bruyamment le talon sur le plancher, que ses yeux lancent des éclairs.

Les *individua* peuvent seulement espérer tendre vers l'état de veille.

Le mot *buddha* est un nom commun qui signifie simplement éveillé.

Mais se réveiller est une chose si désagréable pour ceux dont le désir s'élève dans le sommeil à l'occasion d'un songe.

Une épouse qui ne peut avoir d'enfants touche doucement les poupées en vente sur l'étal.

*

Il n'existe pas dans la nature de fragments. Le plus petit des morceaux est encore le tout. Chaque miette est l'univers et ce dernier est un poil perdu dans les cheveux de la poupée que la main de la femme bréhaigne caresse sur l'étal d'un des marchands de la ruelle.

Tout est perdu.

Tout est égaré comme la goutte d'eau dans la nappe immense de la mer.

Qu'est-ce que la mer?

Chaque océan est une larme du temps.

Qui pleure au fond de l'Être?

*

À chaque fois, la mer s'avance.

À chaque fois, elle recule.

À chaque vague, elle avance sa *tuile d'or*.

À chaque recès, elle recule la poche incurvée de son ombre.

Entre l'hallucination et le désordre, le réel respire comme un enfant qui joue : secousse aussi capricieuse dans son effet qu'elle est imaginaire dans sa perception. Au sein du réel qui respire le temps est aussi inintelligible que le monde est fantasmatique. La trame et la chaîne des générations et des métamorphoses dessinent le même dessin impatient et inexplicable. Aussi bien cet enfant qui joue dans le caprice est un vieillard incontinent qui radote. C'est

71

une répétition, comme les chats guettent depuis toujours.

C'est toujours ce qu'on savait par cœur qui nous a pris au dépourvu.

Un verset des Veda dit : Je suis un écho qui se tient devant le miroir.

Il n'y a pas moyen de ne pas se laisser surprendre par des échos d'images (par des reproductions de chair dues à des mères), par des reflets de sons (par des rognures de vieux prénoms déjà employés dans la langue des pères).

*

Le corps, la différence sexuelle, la mort, l'affection sont des reflets comme les jonquilles ou les carpes, comme le mot de *brahman*, comme les cercles carrés. Comme les sexes différents s'emboîtent soudain en frissonnant, comme les éléments des choses s'assemblent, les âmes se transportent. Elles transmigrent des mères aux filles, des vers blancs ou chenilles aux papillons et hannetons, des chanteuses aux tambours, des assassins aux luths et aux violes. C'est un ruissellement. C'est ce qui permet d'interpréter l'ininterprétable.

C'est le mot de Toukârâm : J'ai souffert des maux effrayants. J'ignore ce que me réserve encore mon passé.

Plotin disait que les réincarnations successives sont comme un homme qui dort dans des lits différents.

Tous les rêves, paroles, actes, intentions tissent le corps à venir.

Le mot sanskrit *karma* signifie cette tissure, qui est cette œuvre des actes sans acception de leur sens.

*

Les actes brûlent. Les sexes brûlent. Tout est en feu, tout est désir. Tout est soif de l'ersatz et de la mort qui en lui attire. Tout est servilité et sommeil. La conscience des hommes peut être comparée à la flamme d'une lampe allumée dans la nuit. Cette flamme peut être mouchée.

Le mot sanskrit de *nirvana* désigne ces mouchettes à deux branches qui servent à éteindre la mèche ou à l'empêcher de fumer.

C'est le rêve qui sait que personne ne le rêve.

Entre les images et le néant il y a un précipice. Il n'y a qu'une passerelle qui permet de le franchir. Le chevalier silencieux Lancelot s'avance sur le pont de l'épée. Elle est si périlleuse que peu s'y risquent et personne ne peut dire si quiconque l'a jamais franchie (puisqu'aucun rêveur n'est derrière ce rêve, c'est-à-dire puisqu'aucun dieu ne garde la passerelle branlante au-dessus de l'abîme).

Il dénude ses mains et la saisit toute nue.

C'est l'art.

CHAPITRE XXII

Une fois la flamme pincée entre les doigts, l'obscurité entoure aussitôt.

Comme l'obscurité entoura les membres nus et le crâne rasé de Syagrius dans l'ombre de la geôle qui était située en contrebas de la levée de la Loire.

Le dernier roi de Rome demanda *(quaesivit)* comme il mourait *(cum moriebatur)* où *(ubi)*.

Où était le *où* où surgissait le monde ?

Où le *où* où il disparaissait ?

Il demanda (comme il mourait) où étaient les branches des mouchettes ? Où l'extinction ? Où le sommeil sans rêves ?

Où est le miroir sur lequel le reflet ne se dépose pas ?

CHAPITRE XXIII

Où sommes-nous ? Au centre de l'aurore.

Quand vivons-nous ? Nous naissons dans la naissance de l'astre sur la terre.

Ce sont tous les mythes inuit qui expliquent l'installation des hommes (*Inuit* en inuit signifie hommes) dans l'aire des aurores.

Le premier signe dans tous les contes fut la constellation propre à l'arrivée du printemps (la remonte des saumons, la reproduction, le renouveau).

Il n'y a qu'un héros dont on attend le retour dans les récits des hommes, c'est le printemps.

Et c'est pourquoi le printemps est l'âge des héros.

Mais l'*investigium* au sein de l'investigation est l'aurore.

C'est très étrange à penser. C'est toujours le soleil renaissant. Le recherché de la recherche c'est le temps premier, le *primum tempus*, le printemps. À l'origine des sociétés l'enquêté de la quête nomade était la force du temps, le premier temps du temps, le temps fort du temps, le retour du vivant, du végétant, du naissant après la faim, après l'appauvrissement des dons de la nature, après les morts de l'hiver.

Pour le temps en l'homme, le contenu du passé *est* le nouveau, le renouveau, la source, la vie rejaillissante. Le mot nouveau posait un problème dans la Rome ancienne : il disait le non-passé, le non-conservateur de la coutume. Les Romains furent le peuple ancien qui médita le plus longuement sur le thème du nouveau. C'est le mot si étrange de l'empereur Claude : « Les choses les plus anciennes ont été extrêmement neuves. »

Novissima. Les novissimes sont les originaires.

(Les choses les plus anciennes ont été les plus neuves des choses.)

*

À l'aube il n'y a pas de différenciation entre imaginaire et réalité.

Ante saecula de même.

À l'aube il y a folie perpétuelle et terreur perpétuelle. (Peut-être de même chez les animaux. Ce qui expliquerait l'extrême effarouchement des farouches.)

*

Le temps dériva du guet suivi du bondissement des prédateurs.

L'aïeul du temps vit dissimulé dans les deux temps de la première *danse à mort.*

Le fond du temps est le qui-vive.

Être sur le qui-vive.

Rester perpétuellement sur le qui-vive.

La tension temporelle de la vie préhumaine à l'état pur.

Le qui-vive est l'expérience à l'état originaire.

C'est la vie de la proie, le qui-vive. C'est la vie de la proie dans la préconscience de la prédation et dans la préconscience de la mort.

CHAPITRE XXIV

Je connais bien l'aurore. Je ne l'ai jamais man-
quée. Même en avion j'entrouvre le petit volet de
plastique dont l'hôtesse a ordonné la fermeture
pour épier, quelque heure qu'il soit dans le décalage
circulaire et céleste, je connais l'heure de la lueur.
Derrière la lueur se tient le seuil incertain de la
terre.
L'aurore est au jour ce que le printemps est à
l'année c'est-à-dire ce que le bébé est au mort.

*

L'aurore tire une fumée de brume au-dessus des
rivières et des lacs. C'est un voile qui s'interpose entre le soleil qui se hisse et son reflet qui se répand
dans la région de l'air qui l'entoure. C'est sa propre
chaleur qui en rend impossible la vision à l'instant
de sa naissance. Nous ne connaissons jamais ce qui
commence à son début. Toute cause en nous est ré-
capitulée et fictive.

Nous ne connaissons jamais ce qui finit à l'instant de sa fin véritable. Tout adieu est un mot dont on veut croire qu'il conclut. Or il ne débute rien et il n'achève rien.

CHAPITRE XXV

Au mois d'août 1999 je débarquai six caisses d'Épineuil sur la rive de l'Yonne et deux sacs postaux en jute grise qui étaient remplis de livres. Je les tirai sur la pelouse.

L'été commençait bien. Il fallait espérer qu'on ne vît personne.

Pas un homme. Pas un enfant. Même pas les guêpes.

Même pas les scarabées énormes et hagards quand on lit dans la chaise longue en toile tirée sur la pelouse ou traînée plus loin sur les fleurs dodues et blanches des trèfles.

Même pas les mulots qui trottinent sur la poussière des planches sèches du grenier quand on s'endort.

Même pas les moustiques femelles qui vous piquent brusquement tandis qu'on rêve.

Même pas, à l'intérieur des rêves, pis que les moustiques femelles, la mémoire.

Même pas le langage lui-même.

Il n'y avait pas un avion qui traversât le ciel.

Pas le moindre son de transistor que portât l'air.

Pas un souvenir de moteur de tracteur.

Pas une tondeuse à gazon.

Pas un coq qui côche.

Pas un chien.

Pas un bal.

Pas la moindre affectation de gaieté autour de moi qui me donnât le désir de me suicider toutes affaires cessantes. Le bonheur montait. Je lisais. Le bonheur me dévorait. Je lus tout l'été. Le bonheur me dévora tout l'été.

CHAPITRE XXVI

Le roi immortel des siècles

Si quelque chose venait de rien, on verrait sans cesse surgir de la mer ou du ciel des êtres effrayants, des femmes qui hurlent, des guerriers muets, des tanks, des dragons, des oiseaux, des serpents. Nous les voyons. Nous vîmes soudain surgir du ciel des avions qui se dirigeaient vers des tours, vers des symboles, vers des trésors.

*

La tentation la plus nocive que connaissent les hommes n'est pas le mal. Ni l'argent. Ni le plaisir stupéfiant et les extases diverses qu'il entraîne. Ni le pouvoir et toutes les perversions qu'il engage. Ni la sublimation et tous les sentiments imaginaires qu'elle fait lever. C'est la mort.

*

Massillon : Souvenez-vous que les récompenses temporelles ne sont pas dignes de ceux qui servent le *roi immortel des siècles.* Souvenez-vous qu'il est heureux de perdre ce qu'il n'est pas permis d'aimer. Le roi immortel des siècles est la mort.

*

L'humanité a inventé la mort vers – 100 000.

La mort comme invention sinon comme pulsion. (C'est Sabina Spielrein qui inventa l'expression pulsion de mort, à Vienne, lors d'une réunion du mercredi.)

Explosion de mort dans le ciel bleu, à l'œil nu, le mardi 11 septembre 2001, au-dessus de la ville de New York.

Le prédateur meurt, la proie meurt, la prédation meurt – tout meurt dans l'instant de la vision.

*

In hac flamma.

Poussée de mort à l'œil nu à l'instar du champignon de *Little Boy.*

Vision dans l'instant du temps de tous les lieux de la terre.

Le dernier mot noté par Freud : *Kriegspanik.* (Curieusement traduit en français par « atmosphère de guerre ».)

*

83

Absentia. Abesse. Ne pas être là. Manquer. Poussée *vivante* de la mort.

Izumi Shikibu : Quand je vois la fumée au-dessus de la flamme, je pense :

Quand me verra-t-on ainsi ?

Au « près » de la flamme. *Praesentia.* Présente à la flamme.

Celui qui n'est pas présent ne peut pas répondre.

Celui qui n'est pas auprès de l'invention des langues naturelles ne peut pas répondre.

Celui qui n'est pas au près *(prae)* de l'invention de la question ne peut pas questionner.

Celui qui ne répond pas à l'appel inhumain dans le site.

CHAPITRE XXVII

La Saint-Barthélemy

Les arts ne connaissent pas le progrès. Le merveilleux ne connaît pas le temps. Entre des bois des cerfs, entre des fauves, sur les parois humides de Lascaux, entre les cerises rouges dans l'atrium de Stabies, entre le lièvre mort et la merlette qui sont peints sur les murs d'Herculanum, où la beauté augmente-t-elle? Il n'y a pas de progrès moral. La faute n'a pas été diminuée si on regarde les années qui firent le centre du siècle qui précède, ou pour peu qu'on examine celles qui l'ont clos, celles qui l'avaient ouvert. Celles qui ouvrent celui qui vient. C'est un abîme sans modèle. C'est peut-être le premier abîme que rencontre l'Histoire dans son cours. Abîme est un mot grec qui signifie *ce qui n'a pas de fond.* C'est le premier abîme que les temps ouvrent. Il y eut avant cet abîme. Il y aura peut-être un *post bellum* mais sa définition est la question qui visite désormais le temps que les langues humaines ont construit. L'abîme qui n'a plus de modèle à son vertige pense moins une faute irrémissible qu'une peur sans fin. Par la possibilité qu'a trouvée la terre de se détruire elle-même, l'épouvante dévaste l'idée même de ce qui point dans ce qui est censé venir de façon imprévisible et toujours radicale dans l'avenir. La beauté naturelle de la terre s'éteint au gré de la volonté humaine. Le désir érotique n'a jamais connu de plus brusque sanction. La mort, l'angoisse et la plainte ne sont plus des souillures quotidiennes mais des reines d'autant plus omnipotentes qu'elles sont devenues des dévotes. On donne l'eau contre de l'argent. On donne un mort à la terre contre de l'argent. On donne le soleil contre de l'argent. Les mers sont pleines de pirates et les airs les ont accueillis. Comme les premiers Célestes ils en sont devenus les héros. Chaque nation est élue du père et suscite comme son souffle une colonne de réfugiés. Les dieux et leur cortège d'horreur sont de retour.

*

Le monde dans lequel nous vivons constitue une exception dans le cours de l'Histoire. Une exception tragique l'a décomposé, et à cette exception s'est ajouté un regard en arrière qui lui aussi, à son tour, le décompose. Deux abîmes : 1. les camps de concentration allemands débouchant sur la bombe Little Boy, 2. le passé en personne surgissant pour la première fois dans l'Histoire. Durant le XXe siècle le passé humain, d'un bond, s'est accru de centaines de millénaires, de milliers de sociétés primitives jamais étudiées, d'un jadis immémorial et continu, d'une terre entière inexhumée.

Les vestiges humains, jusque-là invisibles au regard humain, se mirent à pulluler.

Cela pour le *vestige* humain.

*

Quant au *visage* humain, l'esclavage, le christianisme, les tranchées, les gaz, les fascismes, les déportations massives, les guerres mondialisées, les dictatures communistes, l'impérialisme démocratique enfin en ont ruiné la figure. Il n'y a plus d'humanité hallucinogène. Il y a une prodigieuse désorientation irréversible, insensée, tempétueuse, terrible.

*

Je date la mondialisation de la guerre sur la croûte terrestre à l'année 1853. Après le génocide des Indiens d'Amérique et leur « transportation » (« transportation » est un mot américain dont les Allemands puis les Turcs s'inspirèrent dans les décennies qui suivirent), après le génocide des Noirs d'Afrique, la ségrégation affichée démocratiquement et l'esclavage, les Américains tournèrent leur regard vers le reste du monde.

Le commodore Matthew Perry déclencha les deux guerres mondiales durant l'été 1853 en baie d'Edo.

Le duc japonais alerté par ses hommes observa avec anxiété les navires à roues américains qui jetaient l'ancre dans la rade. Le duc japonais adressa ce message à l'officier américain : « Nous ne souhaitons pas que pénètre sur notre territoire une humanité diabolique. Nous vous demandons de bien vouloir vous en retourner dans votre pays et y demeurer sous la protection vénérable de vos morts. Car, jadis, nous avons connu les Chrétiens et nous nous en sommes mal trouvés. »

En réponse, le commodore Perry, à la proue de son navire, fit crier par le porte-voix de son vaisseau au duc d'Edo :

— Ou bien vous ouvrez vos frontières au libre-échange. Ou bien ce sera par la force que nous vous imposerons le droit.

Ce que le commodore Perry appelait le libre-échange signifiait le commerce américain.

Le commerce américain est assez proche de ce que les anciens Romains appelaient la *Pax*.

On n'a jamais su ce que voulaient dire ces mots (libre, paix) ni en anglais ni en latin.

Le commodore est entouré de ses vaisseaux à roues et de ses corvettes à vapeur. Il a fait pivoter lentement les canons et les a fait armer. Alors les mariniers et les pêcheurs japonais qui se sont amassés sur le quai, qui admirent en criant les quatre navires extraordinaires qui les menacent, sont pris pour cibles.

Les Américains tirent.

Les Japonais cèdent.

*

Alors le monde occidental se mit à protéger l'ethnologie. Les enquêtes sur le terrain devinrent des prétextes nobles pour investir les bouts du monde qui se refusaient encore à l'usage de la monnaie bancaire et pour infecter de désir les yeux des hommes les plus pauvres afin de les perdre dans un mirage.

Les dons médicaux et alimentaires détruisirent les traditions. L'assistance sédentarisa la liberté. Soumettant les groupes aux produits de l'industrie et à l'alcool, elle les ouvrit à la consommation inutile et à l'hébétude. Les ayant agrippés par la monnaie, elle les arrima au crédit et à l'humiliation sociale.

*

Les Inuit ont ce proverbe : Les dons font les esclaves comme les fouets font les chiens.

Les Inuit employèrent ce proverbe après qu'ils eurent vu les *Amerlaqaat* descendre du ciel et envahir le royaume de Thulé, sans même leur déclarer la guerre, les plongeant dans de grands mouvements paniques, les voyant édifier de façon inexplicable deux gigantesques bases militaires au milieu de leurs igloos, au centre de l'aurore.

La beauté d'un proverbe d'autrefois ne leur servit à rien.

Les Inuit découvrirent comment trois millénaires s'effacent en dix ans.

Puis ils découvrirent en quoi l'argent est un dominant plus retors qu'une arme : parce qu'il a tout le temps qu'on veut pour menacer du fond de l'âme à l'aide de sa dette.

*

La question politique est toujours unique. La question politique c'est : prévoir le passé qui guette. La question n'est jamais : Quel avenir pour nos enfants ? La question de la terreur imminente est toujours imminente. La question de tous les temps est toujours : Qu'est-ce qui est sur le point de revenir ? Si j'use du mot toujours, c'est que je me propose de traiter de ce qui est à partir du déchirement du temps. Tous jours. Il faut *tous jours* prendre de vitesse la mort qui fascine le social.

*

Les humanistes et les Renaissants en France, au XVIe siècle, au lendemain des massacres de la Saint-Barthélemy, ressentirent une immense horreur.

Cette horreur de la Saint-Barthélemy eut des conséquences. Il en résulta tout d'abord une révolution politique. L'idée de nation française se fortifia. La féodalité commença à être réprouvée. La religion se décollectivisa, s'intériorisa. L'autorité de l'État s'amplifia et commença à faire sentir sa contrainte anonyme et athée.

Ce qui ajouta à la stupeur du XXe siècle, c'est qu'il ne résulta rien de politique, ni de religieux, ni de xénophilique, ni de national, ni d'international, de l'ouverture des camps de concentration et d'extermination que l'Allemagne avait édifiés. Les pogroms reprirent; les camps essaimèrent; la férocité multiplia son visage; les procédés de la torture se perfectionnèrent; la terreur s'amplifia.

*

Il arrive que le pouvoir soit méprisable, les institutions déshonorantes, les croyances lâcheté, la solidarité honte, la désobéissance vertu, le jadis sauvagerie et fierté.

*

La terre tourne depuis – 3 500 millions d'années. L'humanité vit depuis – 1 million d'années. L'histoire des civilisations humaines dure depuis – 10 000 ans sans qu'elle soit continue ni évolutive. La part civilisée, artistique, noétique, littéraire ne constitue qu'une imperceptible fraction de l'expérience de l'espèce Homo. Imperceptible par l'espèce elle-même en général. Il y a eu seulement quelques œuvres, quelques objets, quelques sons, quelques livres, quelques murs aperçus de quelques hommes qui s'inclinent quelquefois, d'avant en arrière.

*

Il y eut un temps, un long temps, où les hommes et les femmes ne laissaient sur la terre que des excréments, du gaz carbonique, un peu d'eau, quelques images et l'empreinte de leurs pieds.

*

Au cours des derniers six cents millions d'années la terre a connu sept extinctions massives d'espèces. La première date du début du Cambrien, il y a − 540 millions d'années. Nous sommes les contemporains de la dernière de ces extinctions. À la fin du XXIe siècle la moitié des plantes et des animaux qui existent encore sera éteinte.

Auront disparu 4 327 espèces de mammifères ;
9 672 espèces d'oiseaux ;
98 749 espèces de mollusques ;
401 015 espèces de coléoptères ;
6 224 espèces de reptiles ;
23 007 espèces de poissons.
L'Éden se retire peu à peu du Jardin.

CHAPITRE XXVIII

Dernier adieu

Dans les vallées de la Clidame et de la Tialle on appelait « dernier adieu » un regard.

Le cercueil était déposé en silence sur le bord de la fosse.

Le curé communal priait, aspergeait, prononçait la bénédiction en silence.

En silence les assistants s'avançaient sur le bord de la tombe, y jetaient simplement, longuement, ce regard.

Ils ne jetaient ni terre, ni fleurs, ni monnaie : seulement ce regard.

Bien sûr, dans les vallées adjacentes et voisines, rivales, concurrentes, le prêtre nommait le mort, louait sa vie et chantait. La parenté, les desservants et les amis jetaient sur le cercueil déposé au fond de la fosse le pot d'encens, le crêpe du service, la chandelle d'agonie, les gants et les bâtons de portage, une croix de la Passion. Après qu'ils avaient salué le mort ils quittaient l'enceinte du cimetière ; ils retournaient chez le mort, ôtaient du lit la paillasse ; s'éloignaient du village ; brûlaient la paillasse du mort à un carrefour qui n'appartenait pas au territoire de la commune. Brûler la paillasse du mort à un carrefour c'était lui interdire de rentrer chez lui. Le moyen qu'il retrouvât son lit ? C'était l'obliger au Voyage lointain.

Mais ces craintes n'avaient point cours dans la vallée de la Clidame. Rien de tout cela dans la vallée de la Tialle. Le « regard d'adieu » suffisait à tout. Suffisait au « partir ».

CHAPITRE XXIX

Han Yu

Han Yu naquit en 768, obtint son doctorat en 792 et abomina le bouddhisme. Il ne s'inclina pas lors de l'arrivée, à Chang-an, d'un os du Bouddha. Il exprima son indignation par écrit c'est-à-dire de façon dangereuse : contre la faveur qui entourait un os. Il écrivait des traités courts en prose concentrée et rude. Un jour il déploya les cinq doigts de sa main. Il dit énigmatiquement qu'il avait encore entre chacun de ses doigts *l'ombre de la première aube.*

Il mit au point le style dit de prose antique *(gu wen).* La netteté de la syntaxe, la précision du lexique, la répétition des particules grammaticales, la clarté de l'énoncé caractérisent ce style.

Il disait : L'herbe qui pousse pousse.

Il détestait l'ellipse, la religion, la lâcheté dans les nœuds des cordes, la lâcheté dans les mœurs des habitants des cités, la lâcheté dans l'étreinte des amants.

Il aimait le sentier dans l'ombre du soir, la brume épaisse avant le jour complet, le vent par rafales.

Dans *Shan shi* il écrit : Qu'à l'ombre et à un com-
pagnon je m'associe ! Nous vivrions *tous trois* très
vieux sans jamais revenir.

Il fut banni deux fois.

Il mourut.

À Han Yu le bouddhisme et la prose flasque survé-
curent.

*

Monsieur de Saint-Cyran répondit à une sœur religieuse qui lui demandait s'il était utile qu'elle
parlât intérieurement dans ses prières :

— Non. Les hommes sont des jouets. Nos vies, des
prisons. Quand nous disposons du langage, nous
élevons des ruines dans les feuilles mortes et les
mousses.

L'art est la *moindre feuille.*

La feuille la plus faible car la plus petite des
feuilles qui poussent.

Toujours la plus neuve et donc toujours la plus petite.

C'est un reste de nature au sein de la culture. Il est
naissance. En toute chose la naissance cherche à revivre.

L'art ne connaît que les renaissances. La nature
est l'origine. L'art n'est jamais plus grand que le plus
petit des printemps qui rebourgeonne sa glu blan-
châtre au terme de sa branche.

*

Un contre-feu consiste à faire brûler un bois en direction d'un incendie de forêt, en sorte que se crée un vide que les flammes ne pourront franchir. On suppose que ce petit vide stoppera l'avancée du brasier immense simplement en le privant de ce qui l'alimente.

Un contrepoint est un chant supplémentaire qui diverge de la ligne mélodique. Écrire en contrepoint signifie écrire en réplique de l'énergie principale.

Une contre-lettre consiste en un accord écrit et secret qui annule un contrat public.

Comment dresser un contrepoids à l'économie devenue générale, aux intérêts qu'elle multiplie, sans se projeter dans la persécution immédiate ou dans la famine?

Comment remonter à cran le ressort de trois ou quatre contre l'empire de tous?

Ces trois ou quatre, ils se cachent; ils fondent des sociétés secrètes fragiles; ils sont contraints de feindre d'épouser les mœurs joviales et les gestes agressifs des barbares; ils s'exhibent dans leurs cités, leurs temples, leurs amphithéâtres. Mais dans le coin, c'est-à-dire *in angulo*, c'est-à-dire dans l'abri de l'ombre, dans le secret, ils se repassent, à l'égal de photos pornographiques, plutôt que des tracts sectaires, ou publicitaires, ou nationaux (c'est-à-dire plutôt que des billets de banque), des œuvres publiées à neuf exemplaires, ou des souvenirs de livres, ou des reprographies des livres anciens eux-mêmes qui, parmi toutes les marchandises, ne marchandent rien du tout.

Ces pages photocopiées et grises, images sans images, trouent le temps.

*

Le marché peut dire : « Cela marche, cela ne marche pas. » Que pourrait dire davantage le marché ? Et la foule des spectateurs des jeux, entassés sur les gradins, accroupis sur les marches, les yeux déjà brillants du spectacle de la mort qui se prépare, applaudissent, trépignent.

Jadis ils lisaient, ils écoutaient, ils touchaient, ils parlaient. Ils ne disaient pas : « Je marche, j'achète, j'applaudis, je trépigne. » Ils disaient : « Cela m'éclaire. » Ou : « Cela m'émeut. » Embellir le monde, approfondir la terre du temps, ils y songeaient et non : faire que les ventes du quotidien progressent dans l'actuel pour augmenter le périmé. Penser plus loin, s'éprouver plus libre, faire fonctionner l'esprit avec plus de rapidité, plus d'indépendance, plus de lucidité, ils aimaient cela et non : faire que la pacotille ou une *cruche soissonnaise* trouve acquéreur une seconde avant qu'elle soit détruite.

*

Il n'y a plus qu'un empire et l'unique médiation qui le traverse n'est même plus une signification linguistique mais une équivalence monétaire.

Ils préposèrent les Vikings au soin de conserver Rome ;

ils préposèrent les Espagnols au soin de conserver
les temples des Aztèques;
les Portugais la rade d'Edo;
le Roi Soleil Port-Royal rasé.

*

Les images ne sont les représentations de rien.
Sans langage elles ne signifient pas. Que veulent dire
les scènes qu'on voit sur les parois des grottes paléo-
lithiques? Nous l'ignorerons toujours faute des récits
mythiques qu'elles prélettraient ou qu'elles conden-
saient.
Les images sont préhumaines.
Elles datent d'avant les langues naturelles dans les
bouches humaines.
Je soutiens cette thèse : Ce que le rêve a inventé
chez quelques animaux fascine en amont de tout
sens.
La lettre devenue inutile, le signifiant sans signifié,
la monnaie est le tiers des désirs qui s'envient.

*

La Part maudite de Georges Bataille est un des plus
beaux livres de l'ombre. Les sociétés humaines courent le hasard et la mort. Le monde entier sert de
base à l'échange général qui est ce qu'on appelait
autrefois la guerre. Le marché unique a sa fin unique : qui est lui-même. Le marché cherchait à
s'étendre à la totalité de l'espace disponible.

Il y est parvenu.

L'espace disponible est devenu la terre.

Aussi la terre est-elle entrée en concurrence d'elle-même. La concurrence, l'extension, le profit ne sont rationnels qu'à l'état limité et duel. Sur une échelle plus vaste, dès l'instant où la propension à s'accroître ne trouve plus rien à quoi s'opposer ou avec quoi rivaliser, c'est le tournoiement sur soi du chaman avant qu'il s'extasie dans la poussière que la masse de son corps fait rejaillir à l'instant où il tombe.

CHAPITRE XXX

Les vestales

L'Être depuis l'origine de toute chose qui est abolit toute interrogation en l'assouvissant en essence. Le langage dit : C'est... Il a toujours déjà répondu avant toute question.
La quête doit être sans objet (sans religion, sans être, sans réponse.)
Même le langage ne doit pas être l'objet de la quête.
La prédation précède la quête.
L'errance la prédation.

*

Quelque chose qui n'était pas humain chercha à passer pour humain.
Une animalité entourée d'animaux s'extasia, tomba en arrière, mourut, nomma, se fit monstrueuse.

*

J'évoque le *vaille que vaille* financier mondial où la valeur est prise de vertige et tournoie de plus en plus vite comme un chaman sous le coup d'une transe.

*

L'humanité européenne est antihumaine.

*

En août 1945 le premier Homo Sapiens Sapiens fut irradié.

En février 1997 le premier animal fut cloné.

Les vestales à Rome gardaient 1. le feu, 2. le fascinus.

Les hommes au XXe siècle abandonnèrent 1. la garde atomique (le feu, l'explosion), 2. la garde génétique (la fascination, le code).

*

Une espèce d'empire social et violent, technique, de grande amplitude, de longue durée, bavard, plein de déchets et de ruines, né de l'imitation des animaux pourchassés et de l'observation puis de la mise à contribution des phénomènes de la nature, s'est substituée peu à peu au règne biologique, erratique, de petite amplitude, immédiat, presque autonettoyant des espèces végétales et animales sur la terre.

CHAPITRE XXXI

La pierre est une boue durcie. La grotte est de la boue durcie. Je ne cherche ni la pierre ni la dureté. Cheval blanc n'est pas cheval. Je cherche la boue. Qu'on comprenne ceci : Mon ermitage n'est pas solide. On ne peut rien bâtir sur ce que j'écris.

La main qui écrit est comme la main qu'affole la tempête. Il faut jeter la cargaison à la mer quand la barque coule.

CHAPITRE XXXII

Églises de Leyde

Il partit comme il avait dit qu'il ferait. Partit encore. Déménagea à Endegeest. Là, il s'installa dans une grosse maison à deux ailes avec un long jardin au bout duquel il y avait un petit verger.

Tout à l'entour, des prairies sans fin.

Au bout des prés et des champs, au bord de l'horizon, au sommet des touffes d'herbes, sortaient les petits clochers des églises de Leyde.

Les temples où séjournent Dieu et ses saints se mêlaient aux pistils des fleurs.

Les coqs qui les surmontent ressemblaient aux barbes qui poussent aux chardons et qui piquent.

CHAPITRE XXXIII

Post tenebras

De la maxime des calvinistes *Post tenebras lux* je ne conserve que les deux premiers mots.

Quelque chose qui n'éblouit pas éclaire ceux qui ont été engendrés sexuellement et se sont développés dans la pénombre.

Un petit noyau d'hommes chuchote : « Post tenebras. »

Sur le bord des terrasses, avec les merles, nous préservons quelque chose qui n'est pas noirceur dans la ténèbre mais qui n'est pas lumière dans le jour.

*

On ne sait pas bien quand le propre et le sale se sont séparés dans les sociétés et les consciences des hommes.

Quand est apparu le cadavre et la nécessité angoissée de l'ôter de la vue ?

L'inhumation précéda Sapiens Sapiens.

L'art est une des plus anciennes pratiques préhumaines et il est bien plus ancien que la monnaie dans laquelle rien en lui ne se convertit.

L'art est le sempiternel contemporain d'une séparation qui ne l'assujettit pas.

Il est né avant que se solidifient les filiations disjonctives, arborescentes, entre homme et bête, social et asocial, ordre et désordre, paré et repoussant, céleste et infernal, vie et mort, forme et non-forme.

Le sacré, le malpropre, ce qui peut souiller, ce qu'on doit placer à part (ou dérober à la vue) sont mal distincts.

Le sacré n'a jamais été aussi omnipotent que dans les sociétés modernes. On ne s'est jamais à ce point séparé des cadavres, sang des mois, crachats, morves, urine, fèces, rots, croûtes, poussière, boue.

Nous sommes tous des prêtres maniaques dans nos cuisines.

Nous sommes des tyrans fous dans nos salles de bains.

Il est difficile de dissocier les notions d'hygiène, de morale, de sacrifice, de pensée, de racisme, de guerre. Nous épions l'autre, le non-classifié social ou sensoriel, le parasite, la souris, la salive, le marginal, les habitants des interstices (les araignées et les mulots ou les scorpions ne sont jamais ni dedans ni dehors), les universitaires autodidactes, les mammifères poissons, les juifs chrétiens, les mères célibataires, l'eau non potable, les habitants des frontières qu'il s'agisse des territoires des pays ou des corps, le sperme, les épingles, les rognures d'ongle, la sueur, la glaire, les revenants, les phobies, les fantasmes (qui piratent le mur qui devrait séparer la veille du sommeil). L'art est une production parasitaire.

Celui qui fait surgir ce qui jusqu'à lui n'est pas appartient au règne de l'inapproprié.

Il n'est pas à sa place. C'est la définition même de la saleté : Quelque chose n'est pas à sa place. Un soulier est propre sur le plancher. Il est sale pour peu qu'on le pose sur la nappe parmi les fleurs, l'argenterie et les verres alignés.

*

La monnaie est un rituel d'échange sur l'avenir. C'est une foi partagée dont l'évaluation prolifère en système d'équivalences.

L'art, dans son asystasie, est l'autre de ce qui prend sous forme de système.

Les œuvres artistiques sont toutes en guerre contre ce mode de représentation plus récent, rival, facile, crédule.

Le créateur constitue un péril pour la secte qui a étendu sa croyance fanatique à la terre : il joue avec les choses symboliques. Il ne peut pas s'organiser avec cet ordre, il ne croit pas à cette foi. C'est un décepteur. Les marchands n'aiment pas cette prolifération qui complique l'échange et les banquiers se méfient de cette impiété qui menace de dissoudre son medium.

Il n'a pas de dessein.

Il va il ne sait où.

Les prudhommes n'aiment pas les tours que leur joue sans cesse Renart. L'anxiété des déposants est religieuse : Si les hommes cessaient de croire à la valeur d'échange de la monnaie ? Les grands immeubles des banques qui ont envahi la terre seraient autant de temples d'Angkor dans les lianes et les cris de la jungle, sans plus de trace de cette ancienne foi des hommes pour l'équivalence.

*

De nos jours ceux qu'on appelle les créateurs sont surestimés.

Les œuvres sont sous-estimées.

Curieusement, alors que l'entièreté de la *res publica* est devenue profane et vénale, le temps, l'altérité, la nature, l'Histoire, le sacré, même le langage ou du moins la représentation linguistique sont devenus *res privata*.

*

Renan hésita à accepter l'argent qui lui revenait de la vente du premier de ses livres. Il ne voyait pas qu'il y eût une mesure commune entre des pensées exprimées, une foi renoncée, et de la monnaie sonnante. Il fallut que ses sœurs intervinssent pour lui remontrer que cette absence de lien, si elle n'entraînait pas l'acceptation, ne fondait pas davantage la décision d'un refus.

De la même façon Émile Auguste Chartier écrivait des billets dans *La Dépêche de Rouen* sans accepter qu'on le payât. Il disait qu'il enseignait et que cette seule ressource suffisait à ses besoins. Il choisit pour pseudonyme le nom barbare des Alains. Au mois de janvier 1911, il accepta de signer un contrat avec le *comptoir des Éditions de la N.R.F.* à la condition expresse de ne pas percevoir de droits d'auteur sur les livres qu'il y publierait.

*

Une obsolescence de plus en plus rapide affecte les produits vers lesquels se porte de préférence le commerce des individus, des images et des choses : journalistique, publicitaire, audiovisuel, industriel, politique.

Le revenant ici est le *zapping* des *imperator*. Les princes de l'ancienne Rome ne se plaisaient à consacrer que pour éprouver la joie sadique et omnipotente de désacrer sur-le-champ avec leur pouce.

Ce doigt des empereurs est le manifeste.

Pour être plus précis encore *manifestus* est le mot romain du flagrant délit. Le monde romain imagine le meurtrier *saisi par la main de l'accusateur*.

Dans la langue latine quelque chose est manifeste quand le crime s'y laisse voir.

Le droit des anciens Pères était fondé sur la *mancipatio* : ce que la main tient avec emprise.

J'oppose comme contradictoires deux classes d'êtres qui se tiennent dans la main : la page d'un livre couverte de lettres noires qui signifient des choses, un billet de banque qui vaut pour ces choses.

De toute façon la main les tient avec emprise.

En termes de jadis j'oppose le *volumen* (un rouleau d'écriture) et la *stips* (une pièce de bronze).

D'un côté celui qui sait ses lettres, le *litteratus*, le lettré ; de l'autre celui qui fait l'objet de la *stips* : le stipendié, le prostitué.

La polarisation romaine entre citoyens classés *(classicus)* et déclassés, entre *littera* et esclavage, entre *otium* et *negotium* consiste en une seule et même séparation.

*

Moneta était un temple *avertisseur*.

Le langage n'a que nos corps pour abri. *Homo* ne se définit que par là : animal à langage.

Dans le monde romain *Moneta* est le temple qui *divertit* du langage en *avertissant* de l'omnipotence des dieux.

Le *templum* de *Juno Moneta* était rempli des coups des forgerons qui martelaient.

La monnaie comme l'échange muet qu'elle introduit, comme l'image, voudraient que le langage nous quitte.

Il est vrai que la langue écrite n'est pas définitoire de l'espèce humaine. Elle ne l'est que des civilisations qui s'assemblèrent autour des langues antérieures privées de corps humains pour les dire.

Des langues mortes comme le sumérien pour les

hommes d'Akkad. Comme la langue imprononçable, dite littéraire mais à vrai dire translittérante, pour les lettrés de la Chine, de la Corée, du Japon. Comme l'hébreu pour les Juifs quand Cyrus le Messie les autorisa à revenir de Babylone et qu'ils en avaient oublié l'usage commun. Comme le latin pour tous les pays de l'Eurasie chrétienne.

*

Il y a des corps surcorps et qu'on dit anticorps. Ils sont sans image. Ils sont sans écho. Aucun rêveur ne les rêve. Aucun monde ne les contient. On dit qu'ils écrivent.

CHAPITRE XXXIV

Perditos

De certains hommes on dit qu'ils sont perdus. *Perditos.* Ils sont comme des trous d'acide dans la vie sociale accoutumée.

CHAPITRE XXXV

Au terme de l'entrevue d'Antoine Arnauld avec Saint-Cyran dans le donjon de Vincennes le 8 mai 1642, Monsieur de Saint-Cyran conclut en disant à Monsieur Arnauld :

— Il faut aller où Dieu mène et ne rien faire lâchement.

Après le 8 mai ils ne communiquèrent plus entre eux. Ils ne se revirent jamais.

CHAPITRE XXXVI

Le lecteur aux pieds nus

Le sermon mystérieux du non moins mystérieux
Lecteur aux pieds nus *(Barfusser Lesemeister)* commence par ces mots : *Tenebra Deus est. Tenebra in
anima post omnem lucem relicta.* (Dieu est une ténèbre.
Il est la brusque ténèbre qui envahit l'âme après
toute lumière.)

CHAPITRE XXXVII

Terror

Ludwig Wittgenstein fut le théoricien de la disparition du langage.

La *Sprachlosigkeit* est le nom qui fut donné en Allemagne à la guerre de 14-18.

Indicibilité de ce qui est vécu au front dans les mots – pour ne pas parler de la *Propaganda* qui a cours à l'arrière.

La langue cesse d'être un pont entre Ego et Cosmos.

L'envie de dire se perdit dans les tranchées.

*

En 1936 Thierry Maulnier fonde *Combat.* Robert Brasillach y rapporte ces mots : « Quand j'entends parler de culture, s'est écrié un jour Monsieur Goering, je sors mon revolver de son étui. » Claude Orland (qui n'est pas encore devenu Claude Roy) juge que le clan de la guerre, ce n'est pas Mussolini,

Hitler, Salazar, Franco mais Blum, Roosevelt, Staline, Churchill. Maurice Blanchot y publie un long article intitulé *Le terrorisme comme méthode de salut public.* La Terreur est un mot du XVIIIe siècle. C'est son dernier message. Puis 1871. En deux années Paris fut assiégé par les Allemands, Paris fut assiégé par les Français. En une semaine 35 000 hommes, femmes, vieillards, enfants furent exécutés. Plus d'hommes furent déportés dans les colonies et les bagnes que durant toute l'histoire de la République.

En trois jours le gouvernement Thiers fit plus de victimes que la Terreur en trois années.

Du début de la première guerre mondiale à la fin de la seconde 70 millions d'humains furent massacrés.

Le mot terrorisme appartient au droit pénal. La société le définit comme la criminalité politique qui ne cherche pas à instaurer ou à rétablir l'ordre public mais à le troubler de façon spectaculaire. Ce mot a rarement été revendiqué comme tel par les acteurs dans l'Histoire : par les révolutionnaires français, par les droites fascistes européennes avant le 3 septembre 1939.

*

Écrire est entièrement politique.

Vercors : Entre l'occupant et l'écrivain aucun échange, aucune parole, aucun contact, aucun salaire, aucune communication ne sont envisageables.

Je cherche à m'en tenir à cette règle que Vercors a

116

édictée. Celui qui écrit est celui qui cherche à dégager le gage. À désengager le langage. À rompre le dialogue. À désubordonner la domestication. À s'extraire de la fratrie et de la patrie. À délier toute religion.

*

L'appel que lance le cri, une fois qu'il est devenu chant, n'est plus adressé à personne.

Les arts n'ont pas pour destin, comme fait l'Histoire, d'organiser l'oubli. Ni de donner du sens à l'Autre du sens. Ni de souiller et d'engloutir l'Autrefois de la terre. Ni d'anéantir sur place l'Ailleurs du temps. Ni de proscrire les langages en amont de toutes les langues naturelles. Ni d'emmurer l'Ouvert. Il faut être nazi pour penser que l'art est un mensonge qui décore. Il faut être communiste pour estimer que l'art divertit. Il faut être bourgeois libéral pour penser qu'il égaie. Il n'y a que dans les régimes totalitaires que l'art est conçu comme une esthétisation de l'assujettissement, une mise en légende du passé, un truquage à tout instant de l'heure qui vient et passe. L'artiste ne peut pas prendre sa part dans le fonctionnement de la communauté humaine dans l'instant où il s'efforce de s'en déprendre. Il n'a même pas à recevoir de gages en contrepartie de son œuvre. Il est plus proche du deuil que du gage. Moins oublieux que la mémoire volontaire. Moins intéressé que la monnaie dans l'échange. L'art n'a pas pour fonction de dénier l'Autre du social.

*

L'individu est comme la vague qui se soulève à la surface de l'eau. Elle ne peut s'en séparer tout à fait. Et elle retombe très vite dans la masse solidaire qui l'engloutit. Elle retombe toujours dans le mouvement irrésistible de la marée qui la porte. Mais pourquoi ne pas se soulever encore et encore et encore ?

CHAPITRE XXXVIII

Derrière l'épaule du passeur qui pesait de tout son corps sur sa gaffe dans le bassin du Roi, au Havre, très loin, à la limite des nuages, on voyait les silhouettes des navires anglais qui menaçaient les côtes d'une guerre de cent années.

CHAPITRE XXXIX

Monsieur de Saint-Cyran, après qu'il fut élargi de sa prison l'année 1643, évoquait les vanités du monde à la façon dont les peintres avaient pris l'habitude de les représenter sur leurs tableaux ;
verres de vin à demi pleins ;
luths brun et rouge ;
chandelles et cartes à jouer blanchâtres ;
pelures de citron qui pendent au bord des tables ;
miroirs avec reflets ;
miroirs sans reflet.
De tous ces objets il disait qu'il s'était passé avec aisance dans le cachot.
Même de l'image de ce qu'on n'a pas, on se passe.
Les rêves suffisent à pourvoir de l'ersatz pour tout ce dont le corps est privé.

*

C'est aussi en prison que Monsieur de Saint-Cyran

a écrit cette page : Car après qu'on a ruiné la cupidité des richesses, des honneurs et des plaisirs du monde, il s'élève dans l'âme, de cette ruine, d'autres honneurs, d'autres richesses, d'autres plaisirs, qui ne sont pas du monde visible, mais de l'invisible.

Cela est épouvantable, qu'après avoir ruiné en nous le monde visible avec toutes ses appartenances autant qu'il peut être ruiné ici-bas, il en naisse à l'instant un autre invisible, plus difficile à ruiner que le premier.

Saint-Cyran évoque la vanité des livres qui ne sont que des livres. Des dieux qui ne sont que des fantasmes. Des idées qui ne sont que des désirs.

Il y a au sein de l'éternité trois restrictions, ajoutait-il, au-delà de celle qui concerne le nombre des élus. Il avait fait cette expérience au cachot où le roi l'avait mis.

Avant la geôle, je pensais : Derrière le monde visible, il y a un monde. Maintenant, sorti de l'ombre où le roi voulut me placer pour reposer mes yeux, je pense : Derrière le monde invisible, il y en a encore un autre, qui est seul réel.

Au-delà des arts des sens, il y a l'art du langage, où tous symboles sont reconduits, parce qu'il les invente.

Et derrière le langage, ce qui le précède n'est pas le silence, qui n'est que l'opposé de la langue naturelle, c'est-à-dire son contemporain, mais le royaume qui est derrière l'invisible.

*

Nous avons connu la vie avant que le soleil éblouisse nos yeux et nous y avons entendu quelque chose qui ne se pouvait voir ni lire.

*

La définition de l'art moderne a été donnée par Pierre Guillard le 11 août 1932. Pierre Guillard avait fait des études scientifiques ; sa profession : ingénieur. Il se précipite sur *L'Angélus* de Millet. Il perce la toile de plusieurs coups de couteau. Il est maîtrisé par les gardiens. Au poste de police où il est amené par les gardiens du musée du Louvre il déclare :
— Au moins on parlera de moi.

La mise en avant de soi, le refus de l'assujettissement, la haine dans tout ce qui fut du *cela fut*, telle est la triple thèse de l'art moderne.

L'allergie à la dépendance, le discrédit de l'antériorité, l'élimination du jadis, telles sont les thèses du progrès.

Il blesse le paysan au pantalon, blesse la femme penchée au bras. Le ciel fut irréparable.

*

Il n'a jamais fait si froid sur cette terre que dans le siècle où la néoténie s'interrompit.

Les larves ont même arrêté leur métamorphose.

L'univers grouille de fantômes ou de reflets mal colorisés, mal doublés ;

les teintes en vieillissant débordent les formes ;

peu à peu les langues anciennes se désynchronisent sur les chairs de mes lèvres.

*

Il est possible que la beauté des arts en tant qu'arts commença à mourir au XVIIIᵉ siècle dans les temps où la terreur naissait. Le sublime selon Kant était dans l'esprit humain. Le sublime selon l'inventeur du sublime (selon Loggin) était dans la nature. La nature cesse d'abriter sa propre force. L'homme commence à se contempler comme un Narcisse qui s'aime à l'excès jusqu'à la défiguration.

*

Il n'est pas sûr que les œuvres d'art aient jamais été attendues. Quand il leur arrive d'être accueillies avec faveur on découvre que ce ne sont pas à elles que l'hospitalité a été accordée.

Les *Fables* de Jean de La Fontaine ont connu autant d'immédiate faveur qu'elles ont été peu comprises ; elles étaient, dans les salles froides des collèges, aussi bien retenues qu'on n'en commentait point le sens douloureux et plein d'impiété religieuse et de méfiance sociale.

Il se produit aussi, parfois, que la véhémence haineuse et l'interdiction soient le comité d'accueil.

À vrai dire, pour minuscule qu'elle soit, une œuvre d'art ajoute à ce qui est quelque chose qui ne s'y trouvait guère. Ce qui n'aurait pas dû normalement avoir lieu embarrasse. Même le retour d'une tradition peut être intruse et pour ainsi dire perturbatrice. Un second point rend l'art embarrassant : non seulement il accroît l'imprévisible mais il hait la mort. Les artistes sont des meurtriers de la mort. En ce sens il est normal qu'ils soient châtiés par ceux qui font profession soit de l'administrer, soit de l'accroître.

*

Le mimétisme erre dans la nature, fruit d'une fascination préhumaine par laquelle l'œil cherche à dévorer ce qu'il aime.

La carnivorie est une fascination en acte.

La symbolisation fit ses premiers essais dans la fascination féroce.

Même entre les papillons et les fleurs l'échange féroce s'attarde, se détache, survole sa propre forme, s'éloigne, revient, s'encastre.

Le désir est toujours subjugué.

Saint Thomas usa du mot *abalietas*. Il désira montrer par là que toute créature humaine, née de l'autre, fondée sur l'autre, instruite par l'autre, ne fonctionnait que *ab alio*, qu'au gré et au hasard d'une altérité irréductible. Nous ne sommes que des dérivés ; langue, identité, corps, mémoire tout est dérivé en nous. La fondation de *ego* en nous présente beaucoup plus de fragilité et beaucoup moins de volume que l'origine par l'autre, *ab alio*, la transmission familiale, l'instruction sociale, la tradition coutumière, la religion morale, l'obéissance linguistique. La fascination précède l'identité. Dans l'amour-propre il y a beaucoup plus de *socius* intériorisé que de position subjective. Nulle part il n'y eut jamais beaucoup de cet *amour de soi* qui est prêché. C'est toujours une empreinte fascinée. Un fascinat – un nom attribué, le regard d'une mère, un aïeul reproduit, etc. Il n'y a pas d'auto-ressemblance.

*

Ce qui est pensé, ce qui est noétiquement pensé, ce qui est philologiquement pensé, ce qui est étymologiquement pensé (je suis en train d'évoquer une perception *pas complètement imaginaire*) devinrent *inimaginables*. Or ce qui devient inimaginable ne paraît plus exister.

*

C'est la morale dominante qui définit la marginalité. Une morale où ce qui était symbolique est devenu imaginaire (image sur du papier ou image sur des écrans, ou image dans les fantasmes et les rêves) ne peut intégrer à son système de représentation des modes sans images (littérature, musique).

La marginalisation des écrivains et des musiciens est certaine et durable.

La valorisation des peintres, des architectes, des modèles, des stars de cinéma, des politiques, des animateurs, des prêcheurs, des violents, des mortsen-direct est sûre. Elle est attestée depuis 1933. Il n'y a pas lieu de faire persister une lutte sur un front perdu. On ne peut que transformer la marginalité sociale en dissidence. On ne peut que transformer une marginalité de statut en anachorèse dirimante.

*

Ceux qui essaient de pactiser deviendront images.

Ils pâliront.

Ils pâliront aussi soudainement que les photographies que l'on expose à la lumière du soleil sur la table du petit déjeuner.

Cuites et gondolées à midi.

Lambeaux crevés lors de la rosée nocturne qui amène le lendemain.

*

Jadis, dans les civilisations anciennes qui inventèrent l'une la démocratie, l'autre la république, et qui les opposèrent, la parole humaine et l'action étaient si soudées l'une à l'autre que le monde s'estimait dirigé par du langage.

Regina rerum oratio.

De nos jours le forum étant devenu un *templum* – un *contemplum* d'images mobiles – le monde se croit dirigé par de l'image qui remue.

Regina rerum imago.

*

Il est vrai que l'objet des désirs qui aiguillonnaient les ventres de César et d'Antoine était vicieux. Mais Cléopâtre était un objet vivant. César trimbalait Cléopâtre dans ses triomphes sur une charrette tirée par des bœufs. Vercingétorix suivait en tirant sur sa chaîne. Une pancarte représentait Brutus mourant modelé avec de la cire. Une girafe enfin – que seuls précédaient les licteurs martelant les pavés et tenant les *fascis.*

*

Dans le Japon ancien on appelait « boîte à silhouettes » le palanquin.

*

Les gardiens poussent les hommes dans l'arène sanglante devenue lumineuse; on commente les mœurs des animaux et les viols des chrétiennes; on chuchote les regrets des flamines et des augures; on rapporte les louanges des vicaires; on applaudit aux prouesses des mercenaires.

Ils parlent mais tous feignent de parler : ils guettent la défaillance.

Tous s'enchantent de la mise à mort.

Les lions devant les gazelles; les rapaces devant les lézards; les chats devant les souris, etc.

*

Un Narcissus à demi mort règne. Une ancienne rationalité locale et marchande, devenue mondiale et sans dessein, gouverne son regard. Son reflet seul absorbe sa pensée pour peu qu'on puisse parler encore de pensée à son égard : c'est un regard, un écran, un reflet. Le regard cherche le reflet. Le reflet cherche l'écran. L'écran cherche le regard.

*

Le regard de tous sur le reflet de personne.

CHAPITRE XL

Il n'y avait plus de gaieté à ma table. Chacun était perdu dans sa réminiscence personnelle.

Les plus jeunes en étaient encore à découvrir ce pauvre marécage interne, intime, qui pue et où finalement on se noie.

Je sortis.

Sur le gravier, je me retournai brusquement pour regarder la maison comme si je la découvrais.

Je regardai la maison, le jardin, l'étang, les buis.

Puis je regardai en contrebas la forêt verte que la brume qui montait de la rivière envahissait peu à peu.

Je m'en allai.

Lancelot erra.

CHAPITRE XLI

Rousseau avait un ami qui s'appelait Monsieur de Merveilleux et qui habitait Soleure.

CHAPITRE XLII

La brouette

À la mort du roi Louis XIV, en 1715, Mademoiselle de Joncoux sillonna Paris, cherchant à obtenir la libération des jansénistes qui avaient été embastillés et persécutés par le roi mort.

Elle frappa à toutes les portes ; vraiment où que ce fût ; dans l'angle des porches des églises ; sous les colonnades des palais ; dans les antichambres des seigneurs ; au fond des appartements privés des ministres.

Dans toutes ces courses perpétuelles elle n'usait pas d'un carrosse ; ni même d'une chaise à porteurs. Elle s'asseyait dans une brouette.

On disait brouette, berouette, vinaigrette.

On chantait alors.

Aussitôt assise, Mademoiselle de Joncoux se mettait à lire.

Un homme, qui lui faisait face – ou du moins qui faisait face à son livre grand ouvert –, poussait la vinaigrette où Mademoiselle de Joncoux se tenait assise aussi commodément qu'elle pouvait sur un pliant fixé à un plancher fait de deux lattes de bois qui avaient été vissées en arceau au-dessus de la roue unique.

Mademoiselle de Joncoux ne cessa pas de lire plus de dix ans durant.

Elle avait fait mettre un toit gris.

Elle portait toujours des robes de couleur d'écorce d'arbre afin qu'elles fussent le plus foncées possible.

Une écharpe brune sur ses cheveux faisait toute sa coquetterie, qu'elle nommait sa licence. Elle était maigre.

Arrivée à destination, elle tendait une main osseuse dans l'air pâle et terne qui est propre à la capitale des Français.

L'homme qui la poussait prenait sa main et la tirait.

On voyait une laine noire qui sortait de sa boîte.

C'était l'âme ultime de Port-Royal qui posait son soulier sur le pavé et vacillait dans la boue, tenant précautionneusement son livre dans sa main.

CHAPITRE XLIII

Il est des façons de dire qui font trembler.

D'autres qui blessent.

Il est des façons de dire qui dans le souvenir blessent encore au-delà de la mort de ceux qui les proféraient.

Ces voix et ces intonations forment ce qu'on peut appeler la « famille ».

Il est des façons de dire qui entêtent le souffle d'une voix morte ou sourde. Mais voix ou échos qui ne procèdent pas directement de ces morts. Provenant d'un souffle qui n'est pas directement aïeul. Ou qui assiègent la gorge d'une voix secrète, d'une oralité plus dissimulée que la résonance vocale, plus basse que le murmure, qui donne envie de pleurer.

Ce sont les livres.

L'ensemble des livres – cet ensemble exclut tous les volumes dans lesquels l'oralité ou la société n'ont pas été sacrifiées – forme ce qu'on peut appeler la littérature – qui est une famille afamiliale, non directement généalogique, une société asociale.

*

Intérieur est un comparatif pour toute chose qui est interne.

Intime est le superlatif.

Voix à ce point *intime* qu'elle n'est même plus transportable dans l'air.

Qu'elle n'est même plus de l'ordre du souffle dans le corps.

*

Les livres qui seraient *atteints par le reflet du soleil qu'ils ignorent* sont encore plus silencieux que les livres purement littéraires. Ils sont comme le nom d'une personne qu'on aime et qu'on ne peut dire car ses enfants apprendraient qui est leur véritable père, qui l'ignore lui-même.

*

Les livres sans images sont devenus comme les messes de fondation autrefois. De pieux défunts payaient de leur vivant pour que fussent dites à perpétuité des services qui assureraient leur survie. Ils avaient déposé en leur temps des bourses pleines de *louis de 1640* chez leur notaire. Ou ils avaient anticipé le coût que représenteraient ces offices sur des terres toujours vivantes laissées à l'usage ou au bénéfice des cures.

On chantait pour personne qui fût là.

Des hommes célibataires vêtus de robe noire gagnaient cet or des mains des cadavres, puis des osselets des squelettes, puis des poudres de mains qui n'avaient plus aucune existence nulle part.

De la même façon que le prêtre disait la messe dans le vide, de la même façon que l'organiste montait à la tribune pour un souvenir qui n'avait plus de parenté à l'intérieur de ce monde, de la même façon un livre s'adresse à un regard que celui qui le compose ne voit pas.

*

Extraordinaires revenus du jadis à l'état pur qui déclinèrent brusquement dès le début du XVIIIe siècle.

Rançonnements des morts qui fondèrent de moins en moins de Jadis.

Ce sont encore les premières inhumations humaines qui s'y poursuivaient.

Une chance, qui s'est déjà produite, s'approche de nouveau de nous en silence.

Il faut en accueillir la ruine jaillissante, la générosité ruineuse, le halo d'ardeur tremblant et invisible.

César consacre une petite page aux guerriers de la Gaule. Il écrit : Tout ce qu'ils pensent avoir été agréable au défunt, ils le portent au feu.

*

Le tabou mélusinien du langage est le plus beau des thèmes.

La beauté médusante est la seule beauté. La beauté qui devance les mondes des hommes. La beauté fascinante que reconnaissent soudain les bêtes immobilisées.

Pour les mélancoliques, pour les aphasiques, pour les mutiques, pour les naissants, pour les enfants, pour les songeurs, pour les vrais musiciens, pour les érotophiles, pour les fantasmagoriques, pour les écrivains, pour les amoureux, pour les mourants, c'est l'unique.

*

Éprouver en pensant ce qui cherche à se dire avant même de connaître, c'est sans doute cela, le mouvement d'écrire. D'une part écrire avec ce mot qui se tient à jamais sur le bout de la langue, de l'autre avec l'ensemble du langage qui fuit sous les doigts. Ce qu'on appelle brûler, à l'aube de découvrir.

Je brûle ! Je brûle ! Rallumer à l'intensité de ce qui commence tout ce qui succède.

*

Sortir de la nuit antérieure toutes les choses. *Incendier de perte le perdu, voilà ce qui à proprement parler est lire.* Procurer sa couleur d'onzième heure à tout ce qui s'éteint.

Retrouver l'aube partout, partout, partout, c'est une façon de vivre.

Reconstituer la naissance dans tout automne; héler la perdue dans l'introuvable; faire resurgir l'autre incessant et imprévisible dans l'irruption de la première fois car il n'en est pas d'autres.

Naître.

Le langage encore affecté du silence est le nid. Comme le visible affecté de l'obscurité est le rêve.

Puis la lettre qui signale en silence le chant perdu, et derrière le chant perdu, l'antique audition perdue, est la littérature.

Puis la grotte qui reproduit les images involontaires ou célestes comme s'il s'agissait encore de rêves est la peinture.

L'obscurité de la grotte est le rêve fait montagne.

La paroi est la peau humaine à l'intérieur de la paupière.

Et ce nid fait de fragments de brindilles happées une à une à l'entour dans l'espace et des bouts de ficelle que le malheur accumule pour survivre occupe tout le volume de la tête humaine quand elle invente encore, juste avant qu'elle trouve ses mots. Quand elle pense avant qu'elle remémore dans le temps. Quand elle trouve plus que quand elle sait. Quand elle écrit plus que quand elle reconnaît.

Quand elle jouit plus que quand elle écrit.

Quand elle désire plus que quand elle jouit.

La littérature tient tout entière dans ce prélude silencieux. Dans ce nid-livre. Dans cette *Urszene* pleine d'images qu'on n'ose dire.

Les livres écrits, c'est le secrétariat du secret.

Les deux grandes inventions : la grotte dans la montagne, le livre dans le langage.

*

Car ce sont les grottes qui ont fondé les crânes.

Ce sont les monastères qui ont sauvé l'Occident.

L'humanité doit plus à la lecture qu'aux armes. Aussi en Inde. Aussi au Tibet. Aussi au Japon. Aussi en Islande. En Chine, la lecture de l'écrit fonde même la civilisation. Quand tout le monde aura cessé de lire, la littérature redeviendra prisée. Cette expérience recréera ses ermitages tant il est vrai qu'aucune autre expérience humaine ne rivalise avec elle.

Expérience la plus désocialisante qui fût.

La plus anachorétique.

Au point que son histoire n'a jamais transité de pays en pays. Passa de monastère en monastère.

Passa de moine en moine.

Passa de *monos* à *solus*.

De seul à seul.

CHAPITRE XLIV

Le lundi 9 octobre 1989 je quittai Bergheim. Les sociétés secrètes d'hommes libres sont portées à devenir de plus en plus minuscules. Elles sont presque individuelles. Mes amis me sont de plus en plus chers et de moins en moins nombreux. Ammien Marcellin rapporte que l'empereur, quand il offrit la liberté à l'empire : elle fut regardée comme un appât mortel. Le peuple disait :

— Il nous offre la liberté pour nous perdre.

Les principaux citoyens rassemblèrent leurs clients et déclarèrent :

— La liberté est un moyen que César a trouvé pour nous asservir.

Il ne se trouva pas un homme, tant ils aspiraient à la tyrannie, tant ils voulaient maintenir l'ascendant des dieux et préserver l'autorité des parentèles, qui voulût mettre à profit la possibilité de désirer et de prendre, de se cacher, de bouger, de vivre comme un oiseau volette, picore, sautille, tourne la tête de tous côtés.

Ils refusèrent tous d'être libres.

*

La liberté avait été la valeur maximum dans la Rome ancienne. Valeur si inconditionnelle, si peu négociable, qu'il n'était pas permis aux pères durant toute la royauté, durant toute la république, durant tout l'empire, d'en priver leurs enfants.

Les pères avaient le droit de mort sur leurs enfants.

Mais même quand ils les cédaient à autrui, même quand ils les vendaient, même quand ils les bannissaient de l'enceinte familiale, même quand ils les exposaient, même quand ils leur tranchaient la gorge, ils ne pouvaient leur retirer leur liberté.

*

Les envoyés du sénat trouvèrent Cincinnatus les bras nus bêchant sur les quatre arpents de terre qu'il possédait sur le bord du Tibre.

Avec un morceau de laine il essuya la sueur qu'il avait sur le front.

Il se met tout nu sur la terre battue de sa cabane ; il frotte la boue qui a séché sur lui avec de la paille ; il enroule le long de ses cuisses et de son torse sa toge.

Il sort.

Il monte sur la barque qui le conduit au forum. Il vainc les Èques à Minucius. Au bout de seize jours, Cincinnatus abdique la dictature et retourne à sa bêche.

*

Lorsque Yao gouvernait l'État, Po-tch'eng Tseu-kao reçut de lui un fief. Yao remit l'État à Chouen qui le remit à Yu. Alors Po-tch'eng Tseu-kao se démit de son fief et prit la charrue. Yu étant allé le voir, il le trouva occupé à labourer son champ. J'aime ces rencontres où le temps et l'espace s'ignorent.

Yu aborda respectueusement Po-tch'eng Tseu-kao et lui dit :

— Maître, le souverain Yao vous avait donné un fief. Pourquoi voulez-vous maintenant vous en défaire pour labourer votre champ ?

— Je n'envisage pas de m'en défaire. Je m'en suis défait.

— Cela ne change guère la question que je vous pose. Pourquoi ?

— Yao ne règne plus. Vous régnez.

— Il ne me semble pas qu'il soit bon de me répondre ainsi, murmura Yu.

— Je ne sais pas ce qui est bon dans ce qui doit être dit, répliqua Po-tch'eng Tseu-kao.

— Le labour des champs vous a tourné la tête, suggéra Yu.

— Je ne sais pas si le labour de mon pauvre champ

141

m'a tourné la tête mais j'ai le sentiment qu'au temps où Yao régnait, le peuple n'y songeait guère. Maintenant vous récompensez beaucoup, vous châtiez beaucoup, mais le propre n'est pas séparé du sale, ni l'homme de la femme, ni le mal du bien, ni l'étranger du frère, ni les noms des choses. C'est le début de désordres qui dureront longtemps. Pourquoi ne partez-vous pas? Laissez-moi en paix! Laissez-moi en paix! Je vous prie de ne plus interrompre mon travail.

Voilà ce que répondit Po-tch'eng Tseu-kao pour fêter l'accession de l'empereur Yu à l'empire.

*

Le mardi 10 octobre 1989 je fermai l'appartement de Stuttgart.

Le mercredi 11 octobre 1989 je quittai Karlsruhe où je lisais dans le parc jaune. J'arrivai à Francfort. Entre la solitude de celui qui écrit et la solitude de celui qui lit, c'est beaucoup de ciment.

Vaste foire où seuls les chèques sont lus. C'est la fête des intermédiaires. Pendant que les bêtes crient à l'équarrissage, les éleveurs comptent les sous du sang. Nous sommes le secteur primaire. Je murmurais :

— Ne m'interrompez pas!

Je chuchotais de plus en plus bas :

— Ne m'interrompez pas!

J'écrivais.

Nous sommes les vaches.

*

Pourquoi un jour d'avril 1994 alors qu'il faisait beau, alors que le soleil éblouissait, alors que je sortais du Louvre, ai-je soudain hâté le pas ? Un homme qui hâte le pas traverse la Seine, il regarde sous les arches du Pont-Royal l'eau entièrement couverte d'une étincelante blancheur, il voit le ciel tout bleu au-dessus de la rue de Beaune, il pousse en courant une grosse porte en bois rue Sébastien-Bottin, il démissionne d'un coup de toutes les fonctions qu'il exerce.

*

On ne peut pas être à la fois un gardien de prison et un homme évadé.

*

Tel est le premier argument.

Benedictus Spinoza appelait les Hollandais les derniers des barbares (ultimi barbarorum).

C'est la lettre Cinquante : L'âme, dans la mesure où elle use de la raison, ne relève point de l'État, mais d'elle-même.

Spinoza opposait à la foule, au vulgus, l'ami, le carus, comme deux pôles contradictoires.

Il disait : Nous n'attendons pas de liberté de ceux dont l'esclavage est devenu le principal négoce.

*

Ce que recherchent les individus qui sont solidai-
res des collectivités où ils travaillent est la fusion
dans un corps plus vaste. Ils retrouvent la joie ancienne qui consistait à s'abandonner à un contenant.
Ils renoncent à la subjectivité que l'apprentissage du
langage introduit dans chacun et aux privilèges pro-
blématiques que l'identification nominale accorde.
Ils se donnent aux désirs des autres ; ils jouissent des
joies nombreuses, répétitives, fétichistes, obsédées,
sempiternelles des masochistes. Pour reprendre le
mot d'Ammien Marcellin ils préfèrent restaurer un
tyran déjà connu (qui les humilie dans les limites des
lois qu'ils ont édictées pour contenir les blessures
excessives)
    soit à l'anxiété imprévisible ;
    soit à l'absence de figure paternelle ;
    soit à son dédain ;
    soit à la solitude.

*

Toutes les communautés recherchent la recon-
naissance sociale comme un signe lancé de plus loin
que l'espace externe, de plus loin que l'air atmosphérique, en amont de la naissance : signe d'appartenance. Ours, alouettes, femmes, homosexuels,
malades, mendiants, errants, musiciens, peintres,
écrivains, saints, ne vous signalez pas aux pouvoirs
politiques.

Ne réclamez pas de droit au tribunal ni de sens à l'État.

Tel est le deuxième argument : L'État par définition est sans fondement, comme le droit lui-même.

Un mort par violence le fonde comme la victime émissaire fait le dieu.

Comme un martyr fait le tyran.

Comme Damoclès fait Denys.

*

Le refus de l'appartenance sociale fut condamnable aux yeux de tous les groupes humains. Cette condamnation est le fond de chaque mythe.

Comme la passion amoureuse, qui brise l'échange codifié et hiérarchisé entre les membres du groupe pour assurer sa reproduction.

Homère disait : Un individu *apolis* est une guerre civile.

Le vieil aède entend par là que tout homme sans cité est une graine de guerre civile.

Hérodote a écrit : Aucun individu humain isolé ne peut se suffire.

Mot à mot : Ne peut être *autarkes*.

La Bible dit : Malheur à l'homme seul ! Un homme seul est un homme mort.

Mais c'est faux. C'est toujours ce que la société dit. Dans toute littérature orale le narrateur est la société. Tous les mythes déclarent partout sur terre : Il n'y a pas d'amour heureux, afin de préserver les échanges de clan à clan et les alliances généalogiques.

Mais c'est faux.

Car il y eut des amants interdits qui connurent le bonheur.

Car il y eut des hommes seuls, des ermites, des errants, des périphériques, des chamans, des centrifuges, des solitaires qui furent les plus heureux des êtres.

*

Il a existé de tout temps des individus en rupture avec la famille à laquelle ils étaient affiliés ou avec le clan auquel ils avaient appartenu.

La décision de s'écarter de tous, le choix périphérique surgit dès le premier foyer dans les bandes animales.

*

Depuis l'aube des temps les sources hantèrent les grottes et les grottes attirèrent les vivipares. Ils s'y abritèrent. Ils y revinrent quand les glaciers les eurent évidées en les abandonnant.

CHAPITRE XLV

Je marchais dans la rue, front baissé, la tête pleine de pensées intenses vaines. Tout à coup je sentis qu'on me poussait violemment dans le dos. Je tombais en avant si rapidement que je n'avais pas le temps de tendre mes mains vers le sol. Je tombais directement sur la tête. Je sentais la présence de quelqu'un tout près de moi. Je levais mon visage. Je le dévisageais.

Je sentis que mes dents saignaient.

C'était un jeune homme très beau, pâle, qui portait une espèce de soutane, et qui tenait une petite grenade jaune dans sa main, qu'il tendait sous mes yeux. Je voulais toucher mon menton qui me faisait mal mais je reçus aussitôt dans la bouche un coup de genou qui me fit pousser un petit cri. Il était chaussé de grosses baskets montantes.

— Ne bouge pas ! me dit-il doucement.

Je n'étais pas en train de bouger : j'étais en train de pleurer de douleur.

Il avança sa main. Il me prit mon portefeuille dans ma poche intérieure. Il prit l'argent qui s'y trouvait et lâcha le portefeuille près de mon visage. Il partit sans courir.

Je le voyais : il partait sans courir.

J'essayais de me mettre à quatre pattes. Tout à coup, de nouveau je sentais des mains sur mon dos. J'étais pris de découragement. Et ces mains me tiraient. Je me retournais : c'était une vieille femme qui cherchait à me remettre debout. Elle me tirait. Elle demandait en même temps :

— Vous voulez que je prévienne Police-Secours ?

— Surtout pas ! murmurais-je, subitement pris de panique.

— Pourquoi ? demandait la femme âgée.

Dans mon rêve je pleurais. Je disais :

— Je ne veux pas être emmené à Drancy.

CHAPITRE XLVI

Il faut penser ceci : Le chasseur est la mort. L'homme n'est qu'une proie.

La sécession est devenue totale.

Les lettrés ne peuvent plus se tenir debout aux côtés des feudataires.

Le brahmane et le rajah ne se parlent plus.

Pour la première fois la forme d'une société s'oppose à l'existence d'une littérature.

La neutralité dans la façon dont une société s'organiserait est à mettre au compte des *impossibilia*.

Neuter veut dire au plus strict dépolarisé.

La polarisation sociale dépolarisée, c'est la guerre civile.

Ce n'est même plus la guerre civile religieuse, ce n'est même plus la fronde des princes.

Un État qui n'est plus une guerre civile plus ou moins inhibée n'est plus un État.

Un marché devenu unique n'est plus une guerre de marchés mais un marché sans pôle.

Un échange non polaire, un système financier international sans référent et sans *alter* sont des *impossibilia*.

*

Sur les deux valeurs que prônèrent les anciennes colonies anglaises installées sur le sol du nouveau monde depuis cinq cents ans : le puritanisme et l'optimisme.

Ces deux valeurs se résument en une seule : la jovialité consternante.

Le respect de l'argent, de l'industrie, du profit, de la fécondité, de la reproduction, de la femme, de la santé, de la lumière, des petits, des études, de la victoire, du base-ball, de la vitalité, tel est le credo. Cela ne correspond en rien à ce que les anciens Athéniens avaient désiré désigner deux mille quatre cents ans plus tôt en inventant le nom de démocratie.

*

La liberté de conscience ne compta pas au nombre des bagages transportés sur le *Mayflower*.

La démocratie n'a jamais traversé l'Atlantique.

Mais le moyen que les idées de l'*Aufklärung* et de la Révolution française pussent être hissées à bord d'un navire en 1620 ?

Voici ce que les Pères puritains qui débarquèrent dans la baie de Massachusetts apportèrent dans les caisses qu'ils calèrent une à une sur la rive boueuse :

le péché, l'interdiction du tabac, les grands cha-
peaux à tubes, la réprobation des romans, l'éradica-
tion de toute vie intérieure, la prohibition des cartes
à jouer, les bottes évasées, les habits noirs, les armes
à feu, l'interdiction des parures, l'interdiction des
parfums, l'interdiction des rubans et de la dentelle,
l'interdiction des images obscènes, l'extermination
missionnaire des tribus préhistoriques et postsibé-
riennes qui étaient arrivées là huit mille ans plus tôt
par le détroit que retrouva Vitus Bering, la Bible,
l'interdiction de porter des gants, les visages gras et
graves, la haine du corps, les mains nues et blanches,
le racisme, l'esclavage des Noirs achetés sur les côtes
de l'Afrique, la chasse aux sorcières, le sénateur du
Wisconsin Joseph R. McCarty, contrôleur public de
la pensée de chacun, le magistrat texan Kenneth
Starr, fils de Dieu.

*

Le samedi 10 octobre 1998 le Sénat américain
adopta à l'unanimité la Loi sur la liberté de religion
dans le monde.
Voici le texte : « À tout pays convaincu de persécution religieuse seront imposées des sanctions, soit
commerciales, soit financières, une commission in-
dépendante ayant la charge de surveiller les méfaits
de l'athéisme. »
Le dimanche 11 octobre 1998 Michael Horowitz
salua une « grande victoire sur la vision du monde
héritée des Lumières » (Hudson Institute).

*

En 1637 le Père Joseph dit à Richelieu :

— Quand je porte mes yeux sur les villes, sur les forêts, sur les mers, sur les glaciers, j'en viens à croire que le monde est une fable et que nous avons perdu la raison.

À Paris Richelieu fit venir son luthiste et lui demanda d'interpréter la chaconne intitulée *Le dernier royaume.*

Puis il joua les *Ombres qui errent,* pièce dont François Couperin reprit le thème principal sous le nom *Ombres errantes* dans son dernier livre pour clavecin.

Au même moment George Fox développait sa Société des Amis.

L'*Augustinus* parut.

*

Un jour Richelieu dit de Saint-Cyran :

— Cet homme est basque et cela s'entend. Entrailles chaudes et vapeurs dans la tête.

*

Il se trouva que ce fut à Louvain que Saint-Cyran connut Jansénius. Ils montèrent dans une chaise de poste et s'installèrent tous les deux à Bayonne dans la demeure de Saint-Cyran, à Campiprat, face à la beauté et à la violence de l'océan atlantique.

Ils nourrirent le rêve d'une minuscule société qui

ferait renaître l'origine de la pensée des Chrétiens dans l'empire de Néron.

Ils jouaient au volant pour se délasser et ils étaient devenus des virtuoses. Madame de Hauranne disait qu'elle les avait vus faire 3 223 coups de suite sans manquer.

Jansénius dit à Saint-Cyran :

— Nous sommes du salpêtre qui brûle sans laisser de reste. La terre est un champ clos où pouvoirs et désirs sont front à front. Nous nous retirons dans des jardins de quatre-vingts mines. Le dieu que nous adorons a des bras de plus en plus étroits. Nous sommes en l'an 300. Vous êtes Métrodore et je suis Épicure qui brûle. Je cherche la fille de Métrodore.

À quoi Monsieur de Saint-Cyran eut à cœur de répondre :

— Le volant est tout le présent qui se dirige vers le ciel dans l'air accumulé qui fait sa profondeur et sa couleur. Il y a une ombre que ceux qui courent le plus vite ne déposent pas sur le sol.

*

Nos sociétés,

fuyant la souffrance, le négatif, la peur, l'impatience, le tragique, la mélancolie, le silence, la pénombre, l'invisible,

désertent des civilisations sublimes.

Elles s'effarouchent devant les falaises les plus vertigineuses, à l'intérieur des jungles les plus profondes. Elles repoussent les joies les plus angoissantes, les plus désirantes, les plus belles, qui sont toujours au risque de la perte et de la mort.

*

Il faut rester auprès de la source jaillissante.

Prae-sentia. Le latin *prae,* c'est le français *près,* au près, auprès.

Tout est voie quand la *proximité intimissime* approche.

Je me méfierais toujours de quelqu'un qui dit nous quand il jouit.

Sans solitude, sans épreuve du temps, sans passion du silence, sans excitation et rétention de tout le corps, sans titubation dans la peur, sans errance dans quelque chose d'ombreux et d'invisible, sans mémoire de l'animalité, sans mélancolie, sans esseulement dans la mélancolie, il n'y a pas de joie.

*

De même que Cincinnatus n'eut qu'une idée en tête, qui était de retrouver son champ ;

l'ermite le désert ;

le poisson l'eau ;

le lecteur son livre ;

l'ombre l'angle.

CHAPITRE XLVII

Emily

Charlotte Brontë a écrit : Emily était la personne la plus grande de toute la famille. Toujours pâle, silencieuse, les yeux gris foncé ou bleu sombre. Elle était indescriptible : énergique, ramassée, vigoureuse, sauvage, timide, inflexible, exaltée, mélancolique, fière, peu démonstrative (sauf au piano).

Emily et Ann étaient comme des jumelles : inséparables et silencieuses.

Inséparables comme les corps et les ombres.

Emily aimait beaucoup le bord des mares, les têtards, les grenouilles, l'odeur de l'eau.

Elle aimait aussi beaucoup son chien Keeper, avec qui elle se promenait très souvent.

Quand arriva la boîte de soldats à Hathord, durant l'été 1824, qui devinrent les Jeunes Hommes, Emily choisit le bonhomme de bois qui avait l'air d'un « gaillard au Regard grave » et en fit son héros.

Pour cette raison, tous les quatre, nous le nommâmes Gravey.

De nous tous elle était *Celle qui était grave.*

Sa réserve semblait la plus coriace des choses, impénétrable. Pourtant elle était extraordinairement attachante. Je n'ai jamais vu l'équivalent de ma sœur en rien. Plus forte qu'un homme, plus simple qu'un enfant, sa nature était unique. Les dons dont elle faisait preuve en musique étaient vraiment extraordinaires, elle n'avait aucune virtuosité, elle n'était pas une grande musicienne mais le toucher, le style, l'expression étaient intenses.

Le toucher, le style, l'expression étaient ceux d'un maître absorbé corps et âme.

Elle ne détestait pas la souffrance et la supportait assez bien. Elle consentait aux maladies. À la fin, environ un an après la parution de son livre, qui fut complètement méprisé, elle ne voulait plus vivre. Elle détruisit tout ce qui pouvait rester d'elle. Elle s'empressa de nous quitter. Elle mourut sur le canapé du salon.

CHAPITRE XLVIII

Histoire

En − 212, sous l'empereur Qin Shi-huang, on enterra vivants tous les lettrés qu'on aperçut dans l'Empire.

En 96, l'empereur Domitien expulsa tous les philosophes et tous les professeurs de philosophie de l'Empire : tous ceux qui portaient le petit manteau.

Les petits manteaux et la pensée se dirigèrent vers les marches de l'Empire, en Bretagne, en Perse, à Çatal Höyük, à Palmyre.

Damaskios à Bagdad apprend le pahlavi.

CHAPITRE XLIX

Finalement le roi franc Clovis s'installa à Paris dont il avait fait le siège de son royaume à son retour de la guerre d'Aquitaine.

Il y mourut.

Il aimait l'apparence campagnarde de ce séjour, l'élection que l'empereur Julien en avait fait, les descriptions qu'il en avait données et qu'on lui avait rapportées, la beauté du fleuve et les courbes mérovingiennes de son cours.

Méandres de la Seine qui font irrésistiblement penser aux boucles de la chevelure des rois francs parce que les statuaires d'alors en ont offert l'apparence au fils de Dieu.

*

Liste de Clovis : Il aimait les forêts,
les vignes environnantes,
la fécondité des champs,

la douceur du ciel,
l'extrême pâleur de tout.

*

Il demeurait dans l'ancien palais de Constance Chlore sur la rive gauche du fleuve, en face de l'île de Lutèce, le long de la chaussée romaine qui conduit à Orléans.

Les immenses jardins du palais étaient bornés à l'est par la montagne, la Bièvre, les thermes romains ; à l'ouest par le village de Saint-Germain, le sanctuaire de Diane.

Ils contenaient des arbres contemporains de Camulogène.

Deux dates sont à retenir du règne de Clovis : quand il planta des figuiers, quand il planta des amandiers.

Il resta fidèle à la hache de guerre des Istévons et à la chevelure intacte qui consacre la force.

Il interdit qu'un nom romain vînt altérer l'arbre généalogique des noms de sa famille.

Il ne souffrait pas qu'on parlât devant lui du dernier roi des Romains qu'il avait fait décapiter en 486. Il mourut âgé de quarante-cinq années. Le 1er décembre 511 son corps fut enfermé dans un sarcophage de pierre en forme de trapèze.

*

Je loue l'idée franque du droit d'asile. L'idée qu'il

y ait dans l'espace des zones intermédiaires franches de la domination humaine. Des lieux où s'arrêtait la vengeance privée et où la vengeance d'État était interdite. Des lieux de la nature où non seulement l'humanité fut proscrite mais où même la domination des dieux cessait d'avoir cours.

Les Francs ignoraient que les lieux francs étaient aussi les ermitages, le cheval rangé à l'écurie, la cuisine, les pages taciturnes.

*

La fascination qu'exercent les parties sexuelles mises à nu comme les œuvres d'art – qui, elles, sont dénudantes – tient à la possibilité de faire resurgir à des millénaires de distance la nostalgie de ce qui n'est plus.

Ce sont autant d'attributs, de pendeloques, de séquelles d'une île mystérieuse d'où tous proviennent et où nul n'aborde plus, – qui s'est perdue dans l'éloignement, la différence irréductible, l'âge, la durée, la mort, le langage obéi et figé.

L'art à l'égal de la gestation, à l'égal de la parturition, comme la sexualité, comme la passion relient au passé. C'est le paradoxe de Kong-souen Long. Il se trouve que le doigt qui pointe la chose s'efface non seulement dans la monstration, déjà il s'absente dans le nom que va bégayer pour la première fois la bouche de l'enfant qui cherche à l'indiquer.

Toute œuvre d'art est ce langage à sa source, c'est-à-dire un monde devenu un passé.

On ne peut diviser la défense des œuvres du passé, celle du plaisir sexuel, celle du langage écrit, celle de l'art.

*

L'art n'obéit à aucun ordre du temps. Il est inorienté comme le temps lui-même.

Sans progrès, sans capital, sans éternité, sans lieu, sans centre, sans capitale, sans front.

Laisse du temps quand le temps déborde.

Zone franche plutôt que libre.

Zone libérée sans trêve; laisse sans cesse à libérer de la terre qui s'étend comme de la mer qui monte.

*

Zone franche qui est l'exact contraire de la zone franche que fut la PX à la fin de la seconde guerre mondiale.

La petite PX à Berlin durant l'été 1945.

Celle de Tokyo.

Puis les grands magasins de la PX des occupations américaines de la fin des années cinquante.

P et *X* prétendaient être les lettres initiales (à peu près initiales) du nom du magasin de la *Post Exchange* où les soldats de l'armée d'occupation pouvaient acheter des chewing-gums,

des cigarettes,

des sweets,

des candy-bars.

Les grands magasins suivirent les armées d'occupation comme les bases rouillées, les terrains d'aviation crevés, les terrains de tennis gondolés, les slows, le racisme, les cimetières, la télévision, le chou-fleur cru, le dollar, la haine.

*

Zone franche ou *liberum asylum*.

Deux récits ont rapporté la conversion de l'empereur Constantin au christianisme lorsqu'il fallut engager la bataille du pont Milvius en 312.

Soit l'empereur perçoit une lettre qui ressemble à peu de chose près à la lettre *tau* : la croix inscrite dans le soleil. (Dans Eusèbe.)

Soit l'empereur a la vision, en songe, de deux lettres. Dans cette seconde version le songe enjoint au duc des armées des Romains de faire marquer les boucliers de ses soldats de la lettre *chi* traversée de la lettre *iota*. Alors l'armée tirera son épée *(iota)* de la lettre initiale de Christos *(chi)* et vaincra. (Dans Lactance.)

La mutation due à Constantin est simple : il décida qu'il n'y aurait plus d'images sur les boucliers et les drapeaux.

Substituer des lettres aux images.

Les dieux (les images des fauves, puis les images des héros qui les soumettent) se transforment en langage.

En 312, l'humanité, pour la première fois de son histoire, en Occident, dans la plaine des Roches

162

Rouges, devant le pont Milvius, renonça volontairement les images et voua non seulement sa vie mais l'ensemble de ses rêves aux *litterae*.

À la littérature.

Cet épisode lettré dura de la douzième année du IVe siècle à la quatorzième année du XXe siècle. Puis l'image clignota de nouveau, fascina de nouveau, reconquit tout son pouvoir d'hypnose dans la cavité crânienne des hommes.

*

La solitude, la chance, l'indocilité, le risque de la mort, la désintoxication, la lucidité, le silence, le perdu, la nudité, l'*anachorèsis*, l'*excessus*, le don, l'immédiation, l'angoisse, l'excitation sont des valeurs franches.

Toutes les valeurs franches sont secrètes.

La tache aveugle préférée à l'œillère.

Franc veut dire asocial.

*

L'évêque Grégoire commença ainsi *Histoire des Francs* : *Decedente, atque immo potius pereunte ab urbibus gallicanis liberalium cultura litterarum...* La culture des lettres s'éteignant, ou plutôt périssant dans les villes des Gaules, la plupart poussaient des cris en se lamentant, disant : *Vae diebus nostris, quia periit studium litterarum a nobis, nec reperitur in populis, qui gesta praesentia promulgare possit in paginis !* Malheur à notre temps car l'étude des lettres a péri parmi nous. Malheur à ce monde parce qu'on ne rencontre plus personne qui puisse mettre sur une page de livre les choses qui se présentent *(gesta praesentia)*!

*

Couperin mourut en 1733.

En 1731 Couperin a écrit dans son testament : Comme personne n'a guères plus composé que moy dans plusieurs genres, j'espère que ma famille trouvera dans mes Porte-feüilles de quoy me faire regretter, si les regrets nous servent à quelque chose après la vie. Mais il faut du moins avoir cette idée pour tâcher de mériter une immortalité chimérique où presque tous les hommes aspirent.

Il est peu de croyance qui se soit reconnue plus incrédule. Même le testament bouleversant de Stéphane Mallarmé n'a pas cette lucidité.

François Couperin, méprisé de tous, ayant perdu jusqu'à la compagnie de ses derniers élèves, buvait un peu de vin le soir tombé. Il s'asseyait dans une duchesse blanche. Il se disait à part soi :

— J'ai combattu jadis à je ne sais plus quelle bataille du côté de Soissons ou de Belleu. J'ai demandé aux ombres une part de leur ombre. Je luttais comme je pouvais contre les Francs. J'ai composé les *Chemises blanches* et les *Ombres errantes*.

CHAPITRE L

La laisse du temps peut être située dans le monde :
Elle se situe entre le jadis et la mort.
Oe écrivit à Narumi :
Je me hâte
sur le peu de chemin
que laisse à découvert la marée.

CHAPITRE LI

Sur le fleuve qui afflue dans les fleurs

Les fleurs ne vivent qu'à l'année. Dans les hommes monte une sève qui passe les saisons. C'est le passé qui les porte de l'amont vers l'aval. Les fleurs sont sans passé : elles sont même sans saison. Leur sève est la sève. Elles puisent au Jadis en acte.

La sève qui monte, qui accroît, qui pulse dans les plantes et les hommes est le temps qui concerne le temps.

Le temps comme premier, le *Primum Tempus*, le temps comme première fois, le temps comme dernière fois, le temps comme mélancolie, comme mortel, n'existe que pour les sociétés humaines.

Le Jadis, la poussée, le geste instinctuel, fouir, bondir, voler, les animaux *sont* sans qu'ils aient à le connaître.

Il y a sur toute face animale quelque chose d'âgé. Un air de Jadis.

Le temps comme printemps, les hommes l'ont inventé.

Le printemps sur les jeunes filles et sur les jeunes garçons, comme beauté, les hommes l'ont inventé.

*

Nous venons de l'eau comme nous venons de la mer. D'abord nous descendons des bactéries. Puis nous descendons des singes.

Entre les bactéries et les singes il y eut les poissons. Les carpes qui vivent quatre fois plus que nous.

Au terme de nos doigts restent quelques écailles.

Nous aussi dérivons des astres et du soleil.

Tous les hommes et les montagnes, toutes les fleurs, tous les poissons, toutes les carpes, toutes les villes, tous les instruments de musique, tous les singes, tous les livres, tous nos visages tournent autour du soleil.

*

D'où venait cette manie rétrospective au fond de moi qui ne se souciait plus du moi – ni même de l'empreinte reçue d'une langue et d'une civilisation – mais s'était ouverte à jamais au plus lointain ?

Comme déverrouillée au plus lointain ? Offerte à la perception pure ? Abandonnée à cette attention qui oublie le sens de ce qu'elle voit et perd le temps en même temps que le langage ?

D'où venait ce goût pour l'odeur du passé et pour la luisance du jadis qui, elles, loin de me lasser jamais, me passionnaient partout dans ce monde ?

*

Le passé découle de l'étrange expansion qui *est* ce monde.

La vie est cette exubérante colonisation du moindre fragment, de la moindre fissure.

Je levais les yeux.

Contempler le ciel, qui n'est pas vivant, pour tout ce qui est vivant, c'est contempler le seul aïeul.

*

Le rayonnement fossile de l'amour,

le rayonnement en nous de la façon antéhumaine dont les mammifères ont de s'accoupler et de se reproduire,

le rayonnement fossile du sperme,

celui du lait,

de la vague qui se rompt sur la berge brune à la limite de la mer,

sont les plus touchantes des attirances qui animent les hommes.

Du sperme dont est faite une scène invisible.

*

On parle du courant du fleuve. Que serait le couru? Le couru serait la source juste avant le jaillissement. Ce serait le perdu qui revient dans l'à venir du venir qui se perd. Au mot présent il faut préférer le mot plus sûr de passant. Le présent est le passant du temps. Mais de cela je doute. Je doute que le passant du temps soit sa source. Il est possible que dans le passant du temps le passé soit l'énergie (le noyau, le trou noir qui gît au sein de l'affluence, qui déclenche le flux). Comme le mot courant dit quelque chose de plus profond que toute l'eau du fleuve.

À la nappe phréatique correspondent des résurgences. La connexion à un passé plus ancien permet l'éruption du feu intraterrestre.

Ou de l'eau se décongelant laisse place dans les falaises aux grottes, aux ours, aux aigles, aux hommes qui s'y substituèrent dans leurs mœurs, leurs fourrures, leurs plumes.

Aux hommes il faut un passé pour que le passant passe.

Il faut une aurore à cette nuit. Il faut un persécuteur à cette mêlée. Il faut un héros à cette attente. Il faut un printemps-perdu-qui-vient pour orienter ce monde. Il faut un char céleste pour apaiser cet assombrissement de la nuit. Une même question fait surgir une même réponse antédiluvienne. C'est le mythe. Le passé est un amas de réponses : un déluge.

Le passé, c'est la réponse s'amassant.

Le temps, c'est le questionner jaillissant.

Je faisais mes pèlerinages autour de la terre. Non pas pour les amas de passé. Mais pour les signes du Jadis.

Nous sommes des pauvres devinettes. La devinette est la question qui demande la réponse qui l'a bâtie. La réponse qui l'a bâtie est passée. Le devineur sait que la réponse est toujours le passé.

*

En vieil allemand la devinette se disait *tunkal,* ce que je puis traduire par la chose ténébreuse, la chose oppressante, la chose qui plonge l'esprit dans une ténèbre, qui voue l'esprit à une quête désespérante, à une enquête d'autant plus humiliante qu'il y a une solution précédente – précédant sa vie – et qu'il ne se voit pas capable de savoir où aller la chercher puisqu'il est vivant.

La devinette ne parle que de la scène qui précède la vie chez les vivants.

Elle refoule la scène des animaux qui s'étreignent.

Elle l'orne tout en empêchant de la voir.

Tout, dans la façon paradoxale, tordue, torte, impossible, dont est posée la question de la devinette, est fait pour dérouter la quête et en rendre l'objet invisible.

Il est vraisemblable que l'écho du langage dans l'esprit (la conscience) impose de faire croire à la vérité des devinettes. Mais il est possible que la bonne question ne soit qu'une invention. Il est possible que tout récit humain soit un mythe qui ne concerne pas les événements de sa propre vie mais que seule la possibilité de la narration la rende vivable. Il faut un nom à l'anonyme.

Toutes les vies sont fausses.

C'est la narration qui est vive, ou vitale, ou vitalisante, ou revivifiante.

Il est possible que les romanciers soient les seuls à savoir l'erreur – puisqu'ils consacrent leur temps à travailler à son errance – que toute narration engendre et l'étrange vitalité qui naît de cette fiction. Les seuls à savoir qu'il y a autant de romans possibles et aucune vérité en amont d'eux. Qu'il y a autant de questions possibles et aucune devinette véritablement posée derrière chaque drame qui y progresse. C'est pourquoi les hommes aiment tant à passer des examens, des concours, des initiations, des élections, font tant de compétitions, lisent tant de romans à énigme, s'amusent inexplicablement à faire des mots croisés : ils veulent croire qu'il y a une réponse qui précède leur question là où il n'y a que cri de pulmonation, scène invisible, questionnement corporel dénué de fin, contingence sexuelle. Ils veulent croire qu'il y a un chiffrement initial, qu'il y a une direction ou une promesse à leurs jours.

Chaque homme veut croire qu'à la serrure indesserrable et gémissante et rouillée que chaque homme est devenu il y a une clé. Qu'un mot de passe peut faire pénétrer dans un groupe et éviter la mort sacrificielle qui s'y prépare sans cesse avec un trompètement de harde, un meuglement de troupeau, une allégresse solidaire qui ne s'avoue pas. Qu'un piston peut faire démarrer la machine sociale qui n'est qu'un échafaud et qu'un tumulus. Qu'un animal zodiaque influe, qu'un dieu existe qui fait passer de l'obscurité au soleil, qu'il y a un chiffreur à la nuit et une voix qui ordonne le chaos humain quand il se décompose dans la mort.

CHAPITRE LII

Comme un aveugle qui recouvre la vue, comme un sourd qui entend de nouveau, comme un prisonnier sortant de son exil, ils reviennent, ils arrivent, ils regardent mais ce n'est guère le royaume qu'ils retrouvent. On quitte le siècle et on arrive dans le temps. On quitte la nation et on arrive dans le site. On quitte son nom et on arrive dans la semi-animalité du désir et dans la demi-humanité du langage naissant. Je devenais de moins en moins orgueilleux et de plus en plus lointain.

Le distant, le distendu, le temporel est le séparé.

*

Le perdu définit l'ailleurs. *(In aliore loco.)*

*

Le détaché est presque libre.

Monsieur Marc Antoine Charpentier, comme il était parti à Rome, âgé de quatorze ans, pour y apprendre la peinture, en revint musicien.

Il avait eu la tête tournée des airs que Monsieur Carissimi composait dans ce temps-là.

Un beau matin, il avait abandonné le visible.

Il renonça aux verrières exposées au nord des ateliers des peintres.

*

Après avoir fermé les persiennes, ayant tiré vers lui le crochet, il s'assit dans l'ombre. Entre le volet de bois et le clavecin il dit :

— Je ne me souviens déjà plus des paupières qui se relèvent et qui écarquillent leur regard pour voir. Oubliées les robes et les odeurs merveilleuses qui entourent les jeunes femmes et qu'elles déplacent autour d'elles dans l'espace. Oubliées les galères qui appareillent au loin et la lumière éblouissante du soleil qui tombe sur les minuscules rames et sur les minuscules matelots. Je compose des leçons de ténèbres pour des bougies que j'éteins. J'entends des fantômes de plaintes de dieux qui meurent.

CHAPITRE LIII

L'autre royaume

En 1602 un maître pêcheur, dans la province de Bretagne, dans le Morbihan, était propriétaire de cinq barques. Veuf depuis trois ans, il ne s'était pas remarié tant l'amour qu'il portait à la femme qu'il avait épousée jadis persistait en lui. Sa maison était à flanc de falaise. La côte où elle était située était faite de roches noires. Le sentier qui y menait était escarpé. La maison était étroite ; les pièces sombres ; il était à manger sa bouillie.

Il voit par la porte de sa maison sa femme qui passe. Il lâche son bol. Il court sur le chemin qui tombe à pic au-dessus de la mer.

Elle a un corsage en lin blanc en pointe, qu'elle porte au-dessus d'une jupe jaune bouton d'or.

— N'es-tu pas morte depuis trois ans ? lui crie-t-il.

Son épouse en convient, faisant des petits signes de tête de haut en bas. À ses côtés se tient l'ancien chantre du village.

Ce dernier paraît beaucoup plus jeune qu'elle.

À la vérité il est mort neuf ans avant elle.

Il se tient en retrait. Il est lui aussi vêtu de lin jaune. Il a l'air grave. Il paraît songeur.

Tandis que le veuf parle à son épouse morte, le chantre s'assoit sur une roche. Il tient dans les mains une grande canne ferrée.

Un voyageur arrive, venant du Scorff, et les dépasse.

À l'instant de les dépasser il les salue en employant la langue anglaise.

Le chantre lui répond de même en anglais.

Le chantre et l'épouse du maître pêcheur sont tous deux vêtus de lin ainsi que le sont tous les morts.

Ils sont très beaux quoique leurs joues soient blanches et creuses.

— En vérité tu n'aimas pas ceux que tu aimas à la suite de celui-ci? demande à cet instant le maître pêcheur à son épouse.

— Non.

— Tu ne m'as pas aimé?

— Non.

— Tu as toujours préféré un mort à un vivant?

— Oui.

— Pourquoi?

La femme ne répond pas.

— Dis-moi pourquoi, insiste le pêcheur.

— Non.

Après qu'elle a dit non, l'épouse morte lui tourne le dos. Elle s'apprête à reprendre sa route sur le sentier.

Son visage est extraordinairement lumineux.

Le chantre se lève lui aussi prenant appui sur sa canne.

Le maître pêcheur se précipite.

La femme morte se courbe en deux, prend ses jupes dans ses mains, se met à courir sur le sentier à pic.

Mais le maître de pêche, empoignant un genêt, sautant sur une roche en saillie, parvient à la dépasser.

Le veuf hurle.

Il brandit les poings. Il pleure aussi.

Il empêche son épouse morte de passer.

La corniche au-dessus de la mer était si étroite à cet endroit que la morte se serait blessée en tombant, ou bien elle aurait abîmé ses vêtements en lin.

L'épouse reste immobile devant son ancien mari.

Une dernière fois le maître de pêche la supplie :

— Si tu m'expliques pourquoi tu ne m'as pas aimé autant que le chantre, je te laisse passer.

Elle le regarde dans les yeux.

Puis elle hausse les épaules.

Elle tourne son regard vers le large.

Plus tard encore, elle regarde de nouveau son époux, longuement. Son visage ne marque pas de mépris, mais il est sans douceur.

Elle baisse les paupières mais elle ne dit rien.

Il dit tout bas :

— Dis-moi, mon amour, pourquoi tu ne m'aimes plus ?

Alors le beau visage de son épouse est placé sur sa gauche. Il la voit de profil. Il ne voit pas ses lèvres bouger. Il entend pourtant qu'elle dit à voix basse :

— J'avais plus de plaisir dans la compagnie de ce mort, même une minute, même en pensée, même en mâchouillant sans fin dans ma bouche le secret de son nom, que dix ans dans tes bras, même quand j'étais heureuse dans tes bras.

— Ah ! fit-il et il s'effondra sur le sol.

Ils passèrent.

Ils descendirent le sentier.

Ils gagnèrent le sable et la laisse de mer. Ils se tenaient par la main au bord des vagues.

Ils marchaient sur les algues tout en bas.

Le pêcheur voyait les vêtements jaunes flotter au-dessus des algues et des flaques.

Il était jaloux.

Bien que tous deux fussent morts, le maître pêcheur était jaloux de leur bonheur chez les morts.

Il revint chez lui dans un état déplorable.

Le maître pêcheur était sans cesse à souffrir non pas parce que sa femme était devenue fantôme mais parce qu'elle avait préféré dans l'autre monde un homme à qui elle s'était donnée avant qu'il la rencontrât. Il disait :

— Je ne souhaite à personne de voir à qui peut bien aller l'amour des morts.

Souvent, après qu'il avait dit ces mots, il ajoutait avec un air de menace à l'adresse de ceux qui l'écoutaient :

— Et je ne souhaite à aucun d'entre vous de découvrir à qui s'adresse l'amour de ceux avec qui vous vivez !

On dit que sa souffrance dura six mois, jusqu'au mois d'avril.

Étrange royaume que celui que j'évoque pour ouvrir ces tomes, ces landes, ces vagues blanches, ces genêts jaunes, ces à-pics.

Bouts d'algues, morceaux de coquillages, barques crevées, laisses de grève, fragments de scènes invisibles.

Le 23 avril ses larmes se mirent enfin à couler. Il s'alimenta de nouveau. Il refusait de dormir parce qu'il redoutait que son épouse ne lui apparût en rêve. Il craignait de la désirer malgré tout pendant son sommeil. Il avait perdu quarante et un kilos.

CHAPITRE LIV

Il y eut un royaume de Jérusalem qui fut français.
Il dura moins que la vie d'un homme.
En 1203 il n'existait pas.
En 1262, il était fini.
En se croisant, en allant en Asie, les chevaliers allaient chercher des contes.

CHAPITRE LV

La fin de Sofiius

Je n'ai pas dit la fin de Sofiius, le secrétaire *(notarius)* du dernier des Romains. Il est vrai qu'on ignore cette fin. Aussi je l'invente. Au lendemain de la bataille de Soissons, quand Syagrius s'enfuit devant l'armée de Clovis et de Ragnacaire et gagna la cour visigothique de Toulouse, Sofiius attendit son maître. Il garda scrupuleusement la bibliothèque. Le soir, il se promenait en barque sur l'Aisne franchissant l'arc de marbre puis, la nuit venant, il remontait vers le château d'albâtre. Quand la population de Soissons apprit que Clovis avait fait exécuter Syagrius après qu'il l'eut rasé, et quand elle sut que ce dernier avait expiré en prononçant ces mots énigmatiques : « Où sont les ombres ? », elle se tourna vers Sofiius mais Sofiius ne dit rien.

La foule se retira.

Il attendit.

Un jour, il vit arriver un lettré de la cour d'Alaric qu'il connaissait. Il lui offrit de s'asseoir sur le banc de fenêtre de la bibliothèque et il envoya chercher du vin et un morceau de lard séché. Le lettré lui rapporta à son tour les mots que Syagrius avait prononcés en mourant.

Il l'interrogea à son tour sur ce que voulaient signifier ces *umbrae* (ces ombres).

— Les ombres, répondit Sofiius, ce sont celles-là.

Et il tendit le doigt par la fenêtre.

À l'ouest on voyait deux chênes anciens et élevés qui emplissaient d'ombre la cour du château.

Il lui expliqua que le plaisir du roi des Romains chaque soir, l'été, quand il sortait de son bain brûlant, était de s'asseoir dans l'ombre des chênes avec lui et d'autres, comme faisaient les bergers de Virgile, et de se reposer, ou de boire du vin rouge et frais, ou de réciter les vieux vers.

Ils se turent. Ils regardaient par la fenêtre les chênes et les petits enfants qui jouaient avec une balle en chiffon dans la cour. Sofiius le Notaire reprit :

— Quand vous aurez fini de vous restaurer, nous irons jeter un coup d'œil à ces ombres humides, si vous le désirez.

Le lettré de Toulouse inclina la tête et il but.

Ils se levèrent, quittèrent la salle et descendirent dans la cour. Ils disaient entre eux :

— Rien n'est plus agréable que de se promener quand le soir tombe. Non seulement la voûte du ciel, la tête aussi est plus obscure, et les mollets sont engourdis.

— Je n'ai pas d'argent. Me feriez-vous l'offrande de quelques pièces de bronze ?

Sofiius le Notaire dit qu'il en serait ainsi. Le lettré toulousain avait employé le mot ancien de *stips*. Il poursuivit :

— Je vais gagner Trêves. Il est préférable que vous ne restiez pas ici et que vous m'accompagniez.

— Je pense comme vous.

— Le roi Chlodovecchus a élu Soissons pour sa ville capitale et va revenir.

— Il ne porte pas dans son cœur les temples anciens. Il leur préfère les basiliques. Il aime les croix.

— Et les vases.

— On dit qu'il aime les vases. Le monde a changé.

Ils s'étaient approchés des chênes et ils s'assirent sur la mousse qui avait poussé dans leurs ombres.

Il y avait des abeilles qui bourdonnaient.

— À quoi servent ces abeilles qui nous empoisonnent et qui nous piquent les joues ? demanda le lettré de Toulouse tout à coup.

— À faire du miel, répondit Sofiius le Notaire.

— À quoi servent des arbres si grands que quand on regarde de tout en bas leur cime comme je le fais on ressent un véritable vertige ? demanda le lettré de Toulouse.

— À donner de l'ombre, répondit Sofiius le Notaire.

— Ils sont si grands qu'ils menacent la cour. De plus, on ne saurait les abattre sans mettre en péril les murs qui la closent.

— C'est pourquoi ils poussent toujours. Ils pousseront toujours. Ils pousseront les murs et les pierres descellées tomberont en ruine. Les arbres qui ne peuvent pas être utilisés par les porteurs de lances, par les fabricants de palissades, par les fabricants de chariots, par les luthiers, par les fabricants de barques, connaissent l'utilité exubérante des choses inutiles. Dans leur ombre se réfugiaient Virgile, la fraîcheur du printemps, les abeilles qui vous importunent, ceux qui ne font rien, les lettres, ceux qui se touchent quand ils ont un peu bu, les morts, les fruits, les enfants, les grenouilles, les escargots, les arts, moi, vous.

— Si les morts ne sont plus du tout, les vivants ne sont pas beaucoup davantage, murmura le Toulousain. En gros il suffit d'une écuelle de bouillie par jour, d'un coin de muraille, d'une part de la lumière et d'un livre.

— Les morts vous trouveraient ingrat. Mon maître va estimer que je manque de persévérance, dit Sofiius le Notaire. Vous dites trop de bêtises. Vous irez à Trêves seul. Je me rendrai à Paris.

Quand la nuit fut tombée, ils gagnèrent le palais. Sofiius lui compta des pièces de bronze et le lettré partit sous la lune.

Deux jours plus tard Sofiius partit lui-même. Il prit quatre livres en partant, sous forme de rouleaux : le *De rerum natura* de Titus Lucretius Carus, les romans d'Albucius Silus, les livres des *Metamorphoseon* de Publius Ovidius, les annales de Tacite.

Il suivit l'Aisne jusqu'à l'Oise où il prit un bateau et gagna les collines de Paris. Il loua une petite maison à la lisière de la forêt où il surplombait la cité et les temples de Julien. Il avait une table pour lire et se nourrissait de compotes. Il planta une vigne qu'il abandonna. Il lisait tout haut. Il fit faire par un chasseur un toit en pente sous lequel il plaça une cuve pour conserver l'eau de la pluie. Les habitants de Paris montaient le voir. Des citoyens lui demandèrent d'instruire leurs enfants de la forme des nombres et du dessin des lettres anciennes. Il enseigna à deux petites filles et à huit petits garçons. En échange des leçons qu'il donnait à leurs enfants, les parents lui offraient des pièces de gibier, des poissons, des vieilles amphores de vin qu'il aimait bien.

Il connut dix ans de paix. Une nuit, l'an 497, le Toulousain frappa à sa porte. Sofiius alluma une bougie. Il le fit entrer. Il l'embrassa. Il lui versa un bol de vin vieux.

— Ah! te voilà, bavard! lui dit-il.

Le Toulousain, la voix précipitée, la barbe ébouriffée, l'avertit que le roi le recherchait. Les souvenirs de Rome devaient être dispersés. La langue elle-même devait être anéantie parce que, ayant été celle des païens, elle devenait celle des démons.

Sofiius était déjà au courant des serments que le roi mérovingien avait prêtés lors de la bataille de Tolbiac. Il posa son bol de terre cuite. Il évoqua le nom de Constantin, le songe qu'il avait fait et qu'il avait si curieusement interprété.

Tout le mal venait de ce songe qui avait privilégié la lettre grecque *tau.*

— La lettre *chi*, dit le Toulousain.

— La lettre *iota*, dit Sofiius.

— Je pars vers le sud, lui dit le Toulousain. Je vais

rejoindre le soleil au-delà de la mer qui est au milieu du monde.

Sofiius secoua la tête de façon négative mais il ne prononça pas un mot.

Le Toulousain affirma que ses reins et les articulations de ses doigts ne pouvaient plus supporter le climat des Gaules et que maintenant la peur s'était emparée de lui avec le regret du soleil. Ils évoquèrent le nom des lettrés de l'ancien temps et ils citaient des anecdotes qui les emplissaient de joie. Le lettré de Toulouse qui avait quitté Trêves avait connu une vieille femme, quand il était lui-même tout jeune et qu'il apprenait ses déclamations, qui se vantait d'avoir sucé Augustin à Milan, dans le temps où il était encore païen. Il avait connu aussi Olybrius et louait sa gravité et sa vertu, ainsi que la tristesse violente de sa mort.

— Mentionner les temps anciens rend les gens bien tristes, dit Sofiius. Il faudrait songer à nous en retourner.

— Irez-vous avec moi jusqu'à Rome?

— Je n'éprouve pas de plaisir à contempler les ruines. Je ne suis pas un philosophe. Je cherche la durée de la vie et le plaisir des heures. Je vais aller à Reims.

— Vous êtes fou. Les Francs vous recherchent.

— La vie m'a fatigué. La lumière m'a brûlé les yeux. J'aimais parler avec Syagrius. Le voisinage de la mort est peut-être plus vivant qu'une vie consacrée à la fuir. J'aurais aimé donner au dernier roi le vieux rituel des cendres que l'air porte et qui s'élèvent jusqu'à se fondre à la transparence de l'élément qui baigne nos visages et où naissent les petits et les cris. C'est au cœur de l'orage qu'est parfois le giron de paix et de douceur. Je ne veux plus bouger sans cesse et cacher mes jours. Je redoute la langueur et les craintes. J'ai rejeté la tablette et le stylet comme font les petits papillons tout frissonnants et frais des enveloppes de leur mue. Il n'y aura plus un seul sage dans l'univers si tous les sages courent. Si tous les sages fuient, comment feront les temples pour les suivre ? Je poserai sur mon visage le masque du nuage qui est en train de venir, parce que l'autre côté du nuage est toujours dans le soleil. À quoi bon avoir peur ? À quoi bon galoper comme les barbares qui envahissent ce pays déjà cent fois envahi ? Mon corps sera un petit ouvrage fragmentaire que le souffle lira en le quittant. L'ombre conservera un souvenir de mes songes et elle s'étirera. Ma boîte à médicaments et le souvenir de la beauté me tiendront compagnie. Je saisirai un garçon ou je caresserai une femme en silence sans que ma lèvre soit souillée des mots du Haut-Rhin. Au moment où l'ennemi me guette, je déplierai mes genoux et j'irai aux cuisines me verser une assiette de vin que je mettrai à chauffer sur le fourneau ; j'y tremperai mon croûton.

Sofiius lui fit cadeau de ses livres – que le Toulousain, vert de peur, refusa. Il avoua qu'il redoutait qu'on le tuât si on les découvrait dans son bagage. Les Chrétiens n'étaient pas des gens drôles. Ils se dirent adieu, parce qu'ils savaient qu'ils mourraient sans se revoir, en se pressant l'avant-bras comme en usaient les hommes de jadis sur les rives du Tibre, qui avaient en horreur la servitude.

Après le départ du Toulousain, Sofiius brûla les livres de Syagrius qu'il avait apportés avec lui après qu'il se les fut récités deux fois chacun.

Il fit alors comme il avait dit qu'il ferait. Le roi Clovis avait proscrit le souvenir des païens et il masqua son visage. Il se métamorphosa en moine. Il se rendit à Reims.

Dans la basilique, pendant l'office, il joignait les doigts, il récitait dans son for intérieur les aventures d'Orphée montant dans l'anxiété, avec son regard fixe, son sentier rocailleux. Ou la légende d'Écho devenue pierre. Son visage était réservé. Il avait le front proéminent. Sa liberté était indomptable. Il n'ouvrait jamais la bouche et rien ne pouvait le trahir. Ses frères disaient qu'il était si proche de Dieu qu'il oubliait de se signer. Ils ne s'approchaient pas de lui et même ils l'entouraient d'une zone d'évitement et de silence.

Il buvait un boisseau de vin chaque jour. Puis deux boisseaux. Ses conseils étaient très écoutés car il n'ouvrait pas la bouche et se bornait à incliner la tête.

Il n'avait pas de chagrin. Il respirait doucement, en soufflant, sans bruit. Il était considéré comme saint et modeste, tenant les yeux toujours baissés. Il n'aimait guère contempler l'idole suspendue au mur, qui lui évoquait la mort, et comprenait mal qu'un peuple qui se vantait d'être libre eût choisi un esclave supplicié et souffrant comme image de la toute-puissance et du bonheur. Il allait dans la cour s'accroupir aux dos des arbres et tenait alors les yeux ouverts dans leur ombre. On voyait parfois ses lèvres remuer.

Quand Théodoric fit trancher la tête de Boethius, il vivait encore. Il mourut en 533, à Reims, dans le pré clos qui entourait la basilique, à l'ombre d'un ormeau. Il tomba soudain, parce qu'il s'était endormi debout en sortant de la cuisine. Il fut pleuré par ses frères à l'aide des chants. Le pontife Rémi lui survécut douze jours.

DU MÊME AUTEUR *(suite)*

LA RAISON, éd. Le Promeneur, 1990.

PETITS TRAITÉS, tomes I à VIII, éd. Adrien Maeght, 1990 (Folio 2976-2977).

GEORGES DE LA TOUR, éd. Flohic, 1991.

TOUS LES MATINS DU MONDE, roman, éd. Gallimard, 1991 (Folio 2533).

LA FRONTIÈRE, roman, éd. Michel Chandeigne, 1992 (Folio 2572).

LE NOM SUR LE BOUT DE LA LANGUE, éd. POL, 1993 (Folio 2698).

LE SEXE ET L'EFFROI, éd. Gallimard, 1994 (Folio 2839).

L'OCCUPATION AMÉRICAINE, roman, éd. Le Seuil, 1994 (Point 208).

LES SEPTANTE, conte, éd. Patrice Trigano, 1994.

L'AMOUR CONJUGAL, roman, éd. Patrice Trigano, 1994.

RHÉTORIQUE SPÉCULATIVE, éd. Calmann-Lévy, 1995 (Folio 3007).

LA HAINE DE LA MUSIQUE, éd. Calmann-Lévy, 1996 (Folio 3008).

VIE SECRÈTE, éd. Gallimard, 1998 (Folio 3292).

TERRASSE À ROME, roman, éd. Gallimard, 2000 (Folio 3542).

SUR LE JADIS, éd. Grasset, 2002.

ABÎMES, éd. Grasset, 2002.

Cet ouvrage a été réalisé par

FIRMIN DIDOT

GROUPE CPI

Mesnil-sur-l'Estrée

*pour le compte des Éditions Grasset
en novembre 2002*

Imprimé en France
Première édition, dépôt légal : septembre 2002
Nouveau tirage, dépôt légal : novembre 2002
N° d'édition : 12630 – N° d'impression : 61674
ISBN : 2-246-63741-4
ISSN luxe : 2-246-63740-6